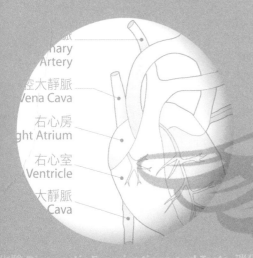

...nary
Artery

...空大靜脈
Vena Cava

右心房
...ght Atrium

右心室
...Ventricle

大靜脈
...Cava

漢英對照

就診良伴

新修訂版

化驗 Diagnostic Examinations and Tests 消化系統 Di...and Lung 牙科 Der
...agnos... ...心肺... ...and Lung
...科 Gynecology and... ...心肺科 Heart and Lung 牙科 Dentistry ...Hospitalization 泌尿系統
...診 Consulting a Doctor 住院 Hospitalization 泌尿系... ...System
檢查及化驗 Diagnostic Examinations and Tests ...igestive System
...Gynecology and O... ...Diagnostic... ...ediatrics
檢查及化驗 Diagnostic Examinations and T... ...Digestive Syste...
老人科 Geriatrics 防疫注射 Immunization
心肺科 Heart and Lung 牙科 Dentistry
婦產科 Gynecology and Obstetrics 小兒...ediatrics

PATIENTS' COMPANION
New Revised Edition

就診良伴 | PATIENTS' COMPANION

著者： 周張慧冰 (Wai-Ping Cheung Chow)
　　　 朱榮楷 (Vincent Wing-Kai Chu)
　　　 岑黎柳玉 (Lau-Yuk Lai Shum)
　　　 宋美連 (Helen May-Lin Sung)

出版： 中僑互助會
　　　 S.U.C.C.E.S.S.
　　　 28 West Pender Street,
　　　 Vancouver, B.C., Canada V6B 1R6

電話： 604-408-7269　　　傳真： 604-408-7259
網址： www.success.bc.ca 電郵： publications@success.bc.ca
出版經理： 唐趙英蘭 (Loretta Chiu)
編輯： 陳吳乃妍 (Lily Chan)
　　　 唐趙英蘭 (Loretta Chiu)
插圖 / 設計 / 製作：Muse Graphic Communication
承印： 至美彩色印刷 (Horseshoe Press Inc.)

一九九六年六月初版
二零零八年二月新修訂第一版
二零零八年四月新修訂第二版
二零一三年四月新修訂第三版
Copyright © 2013 S.U.C.C.E.S.S.

ISBN 978-1-896148-49-6

Library and Archives Canada Cataloguing in Publication

Jiu zhen liang ban = Patients' companion / Chow Cheung
Wai-ping ... [et al.]. -- Rev ed. 2007.

Chinese title romanized: Jiu zhen liang ban.
Text in Chinese and English.
ISBN 978-1-896148-49-6

1. Readers (Adult). 2. Readers--Medical care. 3. English language --
Textbooks for second language learners--Chinese speakers.
I. Chow, Wai-Ping Cheung, 1935- II. S.U.C.C.E.S.S. III. Title: Patients' companion.
PE1130.C4J58 2008 　　　 428.6'4951 　　　 C2007-906486-8

Printed in Canada

本書所列有關醫療護理或求診時詞彙及用語，僅供讀者參考。
讀者若有疑問，宜向專業醫護人員尋求意見。

目錄 | CONTENTS

感謝的話

　　近年移居加拿大的華裔人士不斷增加，中西文化溝通成為了社會的重要需要。中僑互助會創立四十年，一直以來秉承著「領先、同心、服務」的精神，為新移民提供多元化的服務，協助他們適應新環境。

　　本會於一九九六年首度出版這本《就診良伴》保健參考書籍，初版三千冊於一個月內便售罄，此後多次再版發行，亦供不應求。二零零八年我們獲李國柱醫生出版基金支持，發行新修訂版，三千冊亦同樣於開售一個月內被搶購一空，本會加印後亦未能滿足讀者需求，足見此書甚受華裔人士歡迎。

　　《就診良伴》的特點是結集了病人求診時常見的詞彙及慣常用語，協助有需要者以英語和醫護人員溝通，打破語言上的隔閡。全書以漢英對照，並詳列各種有關就診時可能接觸到的專有名稱，及一般疾病的徵狀等。內容精要實用，誠是華裔家庭的就診指南及健康良伴。

　　本書的四位作者周張慧冰女士、朱榮楷先生、岑黎柳玉女士和宋美連女士，均是來自香港的專業人士，他們有感新移民求診時往往面對很多語言上的困難，因而合力編寫及修訂此書。對他們造福社群的熱誠，本會同人深表敬仰。此外，對曾協助提供資料及審核內容的曹紹釗醫生、章志實醫生、宋美倫醫生、朱頌明醫生、藍潤珠醫生及加華醫學會，本會亦深表謝忱。

　　我們同時感謝何杰章及何楊笑棠伉儷家屬慷慨捐款支持，使《就診良伴》現能再版發行，售書收益亦全數撥捐本會作社會服務用途。有關何杰章及何楊笑棠伉儷一生的賢德風尚，詳見書末「親恩永誌」文章的介紹。

中僑互助會
二零一三年四月

前言小語

記得初抵加國時，我們曾與友人談論選擇家庭醫生一事，大家都異口同聲說：「當然找華人醫生啦！我才不曉得怎樣用英語對醫生說『赤赤痛』，『肚谷谷』呢！」

誠然，在溫哥華地區，通曉華語的家庭醫生大不乏人，可是當我們到醫院和護理院探訪時，卻發現不少華裔病者，因語言隔閡而感到苦惱和無助。有一位病者於手術完畢後，不能自行去洗手間如廁，欲取便盆，但平常懂得說的「I want to go to the washroom」卻不能派用場，幾經唇舌及多番轉折，才得到便盆。有些病者更要等待親友來探望時，方能替其表達病痛的感受和醫療反應；而親友到院探病時，往往遇不上當值醫生，無法代病者反映。如此種種，實使病者倍感困擾。

這些接觸和經驗，促使我們決定匯集資料，編寫此書，期望能協助華裔人士在尋求醫療服務時，解決溝通上的一些困難。但由於病況複雜，而且各人感受不同，本書內容實無法包括一切。

編纂期間，承蒙曹紹釗醫生、章志實醫生、宋美倫醫生、朱頌明醫生及藍潤珠醫生等提供資料，賜教斧正，周楚安先生協助文字處理，其他知己良朋的鼓勵和協助，並得到中僑互助會的支持和策劃，本書才得以順利出版，謹致以衷心的感謝。

周張慧冰　　朱榮楷
岑黎柳玉　　宋美連
一九九六年四月

如何使用本書

　　本書結集一般接受醫療護理或求診時常見的詞彙及慣常用語，供華裔人士參考，協助有需要者以英語和醫護人員溝通。撰寫時採用單向陳述方式，把病者與醫護人員通常要向對方訴說的話，去繁就簡，寫成例句，希望讀者能夠觸類旁通，因應實際個別情況，靈活運用。

　　本書分為兩大部分。第一部分是有關病人在求醫時（包括在醫務所接受診治或住院）所面對的溝通問題。編排時採用處境方式，按過程的時序，先後鋪陳。此外，讀者在求醫期間可能接觸到的醫護人員、醫學檢驗、藥品、用品等專有名稱，本書亦提供漢英對照，編排時按漢語詞彙的字數，再按筆畫為次序。

　　第二部分是本書的重點，旨在介紹一般疾病的病徵，使病人求診時能夠確切地描述自己的病況，協助醫生診斷。本部共分十三章，按照病徵出現在人體的部位臚列，由上而下，如頭部（眼、耳、鼻、口、喉）、心及肺部等。這樣編排並不是醫學上的分類，只是為了方便查閱。譬如在《泌尿系統》一章內，找到了「尿色如茶」這一病徵，這並不表示具有此徵狀的人，其泌尿系統必定有毛病，只是說明徵狀出現在尿液而已。兒童、婦女及老年人獨有的徵狀則歸入小兒科、婦產科及老人科，其他不按部位或系統分類的，則放在《其他徵狀及不適》一章之內。此外，每章附錄疾病名稱之漢英對照，是按一般醫學慣例分類的。各章描述病徵時所用的句語、片語、詞語，則按漢字字數，再依筆畫次序而編排。

　　本書如有未盡善之處，尚祈不吝賜教。

周張慧冰

　　周張慧冰女士在一九六零年畢業於香港大學，主修英國文學。翌年考取社會工作文憑後，投身社會服務工作，繼而與同窗創辦香港文理英文書院。此後三十多年，周女士除專責教育工作外，更積極參與社會事務，曾任區議會議員及市政局議員，更於八七年獲委任為非官守太平紳士。

　　周女士於一九九三年移居加國後，即參與中僑互助會之義務工作，亦擔任列治文市耆英諮議會(Richmond Seniors Advisory Council)委員。

朱榮楷

　　朱榮楷先生於一九九二年從香港移居溫哥華。退休前是一位資深的高級醫務化驗師。早年服務於香港政府轄下之病理研究院及多間政府醫院，及後出任香港浸信會醫院病理化驗部主管。朱先生亦為多個專業學會會員，包括英國醫事化驗科學學會、國際輸血學會、香港血液學會等，對醫務工作認識尤深。

岑黎柳玉

　　岑黎柳玉女士在香港從事教育工作歷二十八年，曾任教於香港政府中學及負責行政工作。岑女士在一九六四年畢業於香港大學，主修中文，次年考取教育文憑，又於六九年獲香港中文大學校外進修部高級翻譯文憑。一九九二年移居溫哥華後，便積極參與中僑互助會之義務工作。

宋美連

　　宋美連女士於一九九五年初從香港移居溫哥華。宋女士肄業於香港大學，先後取得理科學士及碩士名銜，旋即負笈英國倫敦大學從事研究工作，於七零年獲頒授博士學位。宋女士對化學、生物和生物化學有精湛的認識。回港後從事教育工作，貢獻良多。

曹紹釗醫生 (**Dr. Shiu Chiu Tso**)
M.B., B.S.(H.K.)
F.R.C.P.(Edin)
F.R.A.C.P.
F.H.K.A.M.(Med.)
香港大學內外全科醫學士
英國愛丁堡皇家內科醫學院榮授院士
澳洲皇家內科醫學院榮授院士
香港醫學專科學院院士(內科)

章志實醫生 (**Dr. Anthony Cheung**)
M.B., B.S. (H.K.)
F.R.C.P. (G)
香港大學內外全科醫學士
英國格拉斯哥皇家內科醫學院榮授院士

宋美倫醫生 (**Dr. May Lun Sung**)
M.B., B.S.(H.K.)
F.R.C.O.G.(U.K.)
F.H.K.A.M.(Obstetrics & Gynecology)
香港大學內外全科醫學士
英國皇家婦產科醫學院榮授院士
香港醫學專科學院院士(婦產科)

朱頌明醫生 (**Dr. Chung Ming Chu**)
M.B., B.S.(H.K.)
M.D.(H.K.)
M.Sc.(Respirat. Med.)(London)
F.R.C.P.(London, Edinburgh, Glasgow)
F.H.K.C.P.
F.H.K.A.M. (Med.)
香港大學內外全科醫學士
香港大學醫學博士
英國倫敦大學呼吸系統醫學碩士
英國倫敦、愛丁堡、格拉斯哥皇家內科醫學院榮授院士
香港內科醫學院院士
香港醫學專科學院院士(內科)

藍潤珠醫生 (**Dr. Bridget Lang**)
M.B., B.S. (Melbourne)
College of Physician and Surgeon (B.C.)
澳洲墨爾本大學內外全科醫學士
卑詩省醫學協會會員

卑詩省加華醫學會
Chinese Canadian Medical Society (B.C.)

第一部分

概説
GENERAL

第一章

就診
CONSULTING A DOCTOR

取尿液樣本　URINE SAMPLING

一般性檢查　GENERAL CHECK UP

預約　MAKING AN APPOINTMENT

領悟一般指示　UNDERSTANDING COMMOM INSTRUCTIONS

預約 **Making an appointment**

1. 請代安排會見 ＿＿＿＿＿＿＿＿＿＿ 醫生。
   I'd like to make an appointment with Dr. ＿＿＿＿＿＿＿＿＿＿ 。

2. 我身體不適。／我發高燒。／....（其他病徵，請參考第二部分）
   I am not feeling well. /I have a high fever. / .... (For more symptoms, refer to Part II.)

3. 我要作例行身體檢查。
   I wish to have a regular check up.

4. 我姓梁，拼作L-E-U-N-G，名叫 ＿＿＿＿＿＿＿。我的電話號碼是
   ＿＿＿＿＿＿。住在 ＿＿＿＿＿＿＿＿＿＿＿＿＿＿＿＿ 。
   My last name is Leung, L-E-U-N-G. My first name is ＿＿＿＿＿＿.
   My telephone number is ＿＿＿＿＿＿. My address is ＿＿＿＿＿
   ＿＿＿＿＿＿＿＿＿＿＿＿＿＿＿＿＿＿＿＿＿＿＿＿＿.

5. 這是我初次看 ＿＿＿＿＿＿＿＿＿ 醫生。我領有卑詩醫療咭。
   I am a new patient. I have a B.C. Care Card.

6. 這個時間對我不方便，可否改為明早十點半？
   This time is not convenient for me. May I make it at 10:30 a.m. tomorrow?

7. 我需要加配藥物。
   I need a refill of my medication.

8. 請轉介我去見一位專科醫生。
   I would like a referral to see a specialist.

9. 我需要盡快會見醫生。
   I need to see the doctor as soon as possible.

10. 我可否留下口訊給 ＿＿＿＿＿＿＿＿＿ 醫生，請他覆電？
    Can I leave a message with Dr. ＿＿＿＿＿＿＿ to call me?

11. 我有急事想直接和 _____ 醫生談一談。
I wish to speak with Dr. _____ . This is urgent/an emergency.

報告病歷 Reporting medical history

A. 個人病歷 Personal medical history

1. 我患有糖尿病 / 血壓偏高 / ....(其他病症，請參考第二部分)。
I have diabetes/hypertension/....(For other illnesses, refer to Part II.)

2. 十年前我患上內耳暈眩症，至今每天服用 _____ 藥。
I had Méniére's disease ten years ago. At present I am taking the drug _____ daily.

3. 九年前，我是乙型肝炎帶菌者。
I was a Hepatitis-B carrier about nine years ago.

4. 三年前，我做了割盲腸手術。
I had an appendectomy three years ago.

5. 我對 _____ 藥，有過敏性反應。
I am allergic to_____.

B. 家族病歷 Family medical history

(醫生也許會詢問病者有關家族成員的遺傳性疾病。)
(The doctor may ask you for your family's medical history on hereditary diseases.)

1. 我父 / 母親患有糖尿病。
My father/mother has diabetes.

我父 / 母親患有膽固醇過高。
My father/mother has high blood cholesterol level.

我父 / 母親患有心臟病。
My father/mother has heart disease.

我父 / 母親患有癌病。
My father/mother has cancer.

2. 我兄弟 / 姐妹身體沒有毛病 / 患有＿＿＿＿病。
   My brother/sister is well/suffering from ＿＿＿＿ .

目前病況 Present illness

(請參看第二部分 Refer to Part II of this book.)

領悟一般指示 Understanding common instructions

A. 一般性檢查 — **General check up**

站在體重磅上	Stand on the scale.
將探熱針放在舌下	Put the thermometer under your tongue.
深呼吸	Breathe in and out deeply.
張開嘴巴，説聲「呀」	Open your mouth and say "ah".
向前 / 左 / 右…望	Look forward/to the left/to the right/…
屈膝 / 肘 / …	Bend your knee/elbow/…
提起膝部 / 手 / …	Lift your knee/hand/…
仰臥床上，放鬆身體	Lie down on the couch/table on your back and relax.
向左 / 右邊側臥	Lie on your left/right side.
俯臥	Lie on your tummy.

B. 抽取血液樣本 — **Blood sampling**

(有些檢驗需要空腹樣本)(Some tests need a fasting sample.)

捲起衣袖	Roll up your sleeve.
緊握拳	Hold your fist.
按著膠帖 / 棉花五分鐘	Press on the plaster/cotton for five minutes.

C. 取尿液樣本 Urine sampling

把尿液之中段部分注入容器內。
Collect mid-stream urine in the container.

將樣本放入櫃內 / 桌上。
Place the specimen in the cupboard/on the table.

D. X光檢查   X-Ray examination

除下上身全部衣服	Undress to your waist.
取下頸鍊等飾物	Take off your necklace and other ornaments.
穿上長袍，在背後扣帶	Put on the gown and tie it at the back.
抬高頭	Raise your head.
吸一口氣，暫止呼氣，勿動	Take a deep breath and hold it. Don't move.

病者可能提出的問題 Some common questions you may ask

1. 我的病要治療多久？
   How long shall I need the treatment?

2. 我要住院嗎？
   Do I need to stay in hospital?

3. 我要住院多久？
   How long do I have to be in hospital?

4. 我要服藥嗎?
   Do I have to take medication?

5. 我要服藥多久？
   How long do I need to take the medication?

6. 這些藥物有沒有副作用？
   Are there any side effects in taking this medication?

7. 這些藥和我正在服用的，有無衝突？
   Does this medication interact with the one I am now taking?

8. 我需要禁吃某些食物嗎？
   Is there any food I can't take?

9. 我要找你或家庭醫生覆診嗎？
   Do I require a follow-up visit with you or my family doctor?

10. 何時知道檢驗結果？
    When shall I get the result of the test?

11. 每隔多久作一次血液／尿液檢查？
    How often should I have the blood/urine tests?

12. 可否會見專科醫生？
    Can I see a specialist?

13. 可否會見另一位專科醫生？
    Can I have a second opinion from another specialist?

14. 可否繼續從事_____工作？
    Shall I be able to continue my job as a _____?

15. 緊急時怎樣跟你聯絡？
    How do I contact you in case of emergency?

16. 能給我開病假証明嗎？
    Could I have a note for sick leave?

用藥指示 Medication instruction

A.

忌酒	Avoid alcohol.
冷藏	Refrigerate.
空腹服用	Take on an empty stomach.
重配一次	Refill once more.
勿放進冰格	Do not freeze.
使用前搖勻	Shake well before use.
與食物送服	Take with food.
勿讓兒童自取	Keep out of reach of children.
必須服完此藥	Finish all this medication.
以大量開水送服	Medication should be taken with plenty of water.
每＿＿＿小時服一次	Once every ＿＿＿＿ hours.
可引致昏睡，切勿駕駛	May cause drowsiness. Don't drive.

服用 take

B.

藥丸 / 膠囊 tablets/capsules		茶匙 teaspoon	湯匙 tablespoon
一次 once	二次 twice	三次 3 times	四次 4 times

每天 a day

飯後 after meals	飯前 before meals	早上 in the morning	睡前 before bedtime

C. 塗　軟膏 / 乳膏 / 糊劑 / 凝膠　每天＿＿＿＿次
Apply　ointment/cream/paste/gel　＿＿＿＿ time(s) a day.

D. 注　　　眼 / 耳 / 鼻　藥水＿＿滴　每天＿＿＿＿次
Place/Instil ＿＿＿ eye/ear/nose drop(s) ＿＿＿＿ time(s) a day.

E. 噴　　噴霧劑＿＿下　每天＿＿次
Apply ＿＿ spray(s) ＿＿ time(s) a day.

F. 塞　　塞肛劑　　　　　需要時使用
Apply rectal suppository when necessary.

G. 含　藥丸　　在舌下　　　　需要時使用
Put the tablet under the tongue when necessary.

H. 緩解藥丸　請勿切開 / 壓碎服用 / 咀嚼
Slow release tablets should not be cut/crushed/broken/.

I. 整粒吞下
Swallow whole.

第二章

醫護人員

MEDICAL *and other* HEALTH CARE PERSONNEL

牙科醫生	Dentist/Dental surgeon
外科醫生	General surgeon
家庭醫生	Family physician
骨科醫生	Orthopedic surgeon
眼科醫生	Ophthalmologist/Eye specialist
腎科醫生	Nephrologist
顧問醫生	Consultant
駐院醫生	Resident doctor
小兒科醫生	Pediatrician
心臟科醫生	Cardiologist
皮膚科醫生	Dermatologist
血液科醫生	Hematologist
老人科醫生	Geriatrician
法醫科醫生	Forensic pathologist
泌尿科醫生	Urologist
急症室醫生	Emergency physician/Casualty officer
神經科醫生	Neurologist
風濕病醫生	Rheumatologist

牙科醫生	Dentist/Dental surgeon
外科醫生	General surgeon
家庭醫生	Family physician
骨科醫生	Orthopedic surgeon
眼科醫生	Ophthalmologist/Eye specialist
腎科醫生	Nephrologist
顧問醫生	Consultant
駐院醫生	Resident doctor
小兒科醫生	Pediatrician
心臟科醫生	Cardiologist
皮膚科醫生	Dermatologist
血液科醫生	Hematologist
老人科醫生	Geriatrician
法醫科醫生	Forensic pathologist
泌尿科醫生	Urologist
急症室醫生	Emergency physician/Casualty officer
神經科醫生	Neurologist
風濕病醫生	Rheumatologist
胸肺科醫生	Respirologist/Pulmonologist
婦產科醫生	Gynecologist and Obstetrician
麻醉科醫生	Anesthetist
腦外科醫生	Neuro-surgeon
腸胃科醫生	Gastroenterologist
腫瘤科醫生	Oncologist
精神科醫生	Psychiatrist
內分泌科醫生	Endocrinologist
耳鼻喉科醫生	ENT surgeon/Otolaryngologist
放射治療醫生	Radiotherapist
放射診斷醫生	Diagnostic radiologist
胸肺外科醫生	Thoracic surgeon

過敏性科醫生	Allergist
整形外科醫生	Plastic surgeon
矯形牙科醫生	Orthodontist
臨床病理醫生	Clinical pathologist
護士	Nurse
化驗師	Laboratory technologist/Technician
針灸師	Acupuncturist
視光師 / 醫生	Optometrist
營養師	Nutritionist/Dietician
藥劑師	Pharmacist
助產士	Mid-wife
心理學家	Psychologist
社區護士	Community health nurse
足科醫師 / 醫生	Podiatrist
社會工作者	Social worker
放射科技師	Radiographer
物理治療師	Physiotherapist
家務助理員	Homecare worker
語言治療師	Speech therapist
職業治療師	Occupational therapist
脊骨神經科醫師 / 醫生	Chiropractor
緊急救援人員	Ambulance paramedic
臨床心理學家	Clinical psychologist
醫務輔助人員	Paramedic

第三章 **住院**
3 HOSPITALIZATION

登記 Registration

請求 Requests

食物選擇 Choice of food

病歷 Medical history

出院 Discharge

出院時可能有下列請求：
Upon discharge a patient may have the follo

轉介社工/家務助理(希望能説國語/
Could I be **referred** to a **social worker/homecare worker** who

如何使用藥物/有何副作用
How should I **take** the **medication**? Are there

何時覆診
When should I see the doctor aga

登記 Registration

出示醫療咭
Show your Care Card.

提供個人資料
Give your personal information.

告知院方家庭醫生之姓名、電話、地址
Give the name, telephone number and address of your family doctor.

填寫入院表格
Fill in the admission forms.

簽署同意書
Sign the consent form.

通知家人 / 親屬
Inform next of kin/relatives.

病歷 Medical history

將你個人的病歷告訴醫生或護士。
Tell the doctor or nurse your **medical history**.

例如： For example:

a. 曾患高 / 低血壓
   I have **Hypertension** / **Hypotension**

b. 曾接受肝 / 腎手術
   I had **liver** / **kidney operation/surgery** _____ years ago.

c. 對盤尼西林 / 海鮮 / 雞蛋 / … 敏感
I am **allergic** to **Penicillin/seafood/eggs**/…

醫生或護士會為病者
Then the doctor or nurse may

a. 量體溫 / 脈搏 / 血壓 / 抽血/ …
Take your **temperature/pulse rate/blood pressure/blood specimen**/…

b. 收取小便 / 大便 / 痰樣本
Collect **urine/stool/sputum** samples.

c. 照肺 / 做心電圖
Have **chest X-ray/ECG.**

請求 Requests

住院期間病者或有下列請求 / 申訴：
During hospitalization a patient may have the following requests/complaints:

a. 普通 / 稀軟 / 流質 / 素食餐
I would like to have a **regular/soft/liquid/vegetarian diet.**

b. 止痛藥
Could I have some **pain killer** ?

c. 安眠藥
I can't sleep. Could I have a **sleeping pill** ?

d. 止咳糖 / 藥
Could I have some **cough drops/mixture** ?

e. 輕瀉劑 / 肛用藥
I feel constipated. Could I have some **Laxatives/Suppositories**?

f. 吸杯
Could I have a **feeding cup**?

g. 大小便盆
Could I have **a bed pan/urinal**?

h. 多一個枕
Could I have an **extra pillow**?

i. 多一張氈
Could I have an **extra blanket**?

j. 更換床單
Could I have my **bedsheet changed**?

k. 熱 / 冰墊
Could I have a **hot /ice pad**?

l. 助行架 / 手杖 / 輪椅
Could I have a **walker/crutch/wheelchair**?

m. 我要嘔吐
Sorry, I am going to **vomit**. Can I have help?

n. 包紮引致不適
The **bandage** is **bothering** me.

o. 縫針引致不適
The **stitches** are **bothering** me.

p. 搓澡 (抹身)
I feel filthy. Could I have a **bed bath**?

q. 升高 / 降低病床
Please help **raise/lower** my bed.

r. 協助坐上椅子
Please help me **to the chair**.

s. 協助轉身 / 坐起 / 躺下
Please help me **turn/sit up/lie down**.

t. 想見醫生
Could I see the **doctor** ?

u. 想回家＿＿小時
Could I have a **day pass** for ＿＿ hours ?

v. 想見社會工作者
Could I see the **social worker** ?

食物選擇 Choice of food

一般醫院提供的食物：
Food usually provided by the hospital:

A. 牛奶及乳類製品　　　Milk and dairy products

牛油	Butter
芝士（乳酪）	Cheese
奶：	Milk:
全脂奶	Homomilk/Full cream milk
脫脂奶	Skimmed milk
部分脫脂奶	Partly skimmed milk (1%, 2%)
忌廉（乳脂）	Cream
雪糕	Ice cream
酵母乳（酸乳酪）	Yogurt
人造牛油(菜油)	Margarine(made from vegetable oil)
朱古力奶(巧克力奶)	Chocolate milk
低脂乾酪	Cottage cheese

B. 麵包,穀類　　　Bread and grain products (cereals)

飯	Rice
通心粉	Macaroni
意大利粉	Spaghetti

麵包：	Bread:
白麵包	White
全麥麵包	Whole wheat (brown)
烤麵包/多士	Toast
麵條	Noodles
穀類:	Cereals:
米通	Rice crispies
麥片	Oatmeal
麥麩	Bran
玉米片	Cornflakes
鬆餅	Muffin
曲奇餅	Cookies
梳打餅	Soda cracker

C. 肉、魚及家禽　　Meat, fish and poultry

蛋:	Eggs:
奄列	Omelet
炒蛋	Scrambled
煎蛋	Fried
煲蛋	Boiled/poached
雞(胸、翼、腿)	Chicken (breast, wings, thighs)
牛肉	Beef
牛扒	Steak
火腿	Ham
火雞	Turkey
碎肉	Minced meat
煙肉	Bacon
豬扒	Pork chop
鱈魚	Cod
三文魚	Salmon
吞拿魚	Tuna

D. 生果及蔬菜 Fruits and vegetables

杏	Apricot
桃	Peach
梨	Pear
梅	Plum
橙	Orange
西瓜	Watermelon
西柚	Grapefruit
香蕉	Banana
草莓	Strawberry
菠蘿	Pineapple
檸檬	Lemon
葡萄	Grape
蘋果	Apple
菇	Mushroom
蒜	Garlic
生菜	Lettuce
玉米(粟米)	Corn (Maize)
西芹	Celery
青瓜(黃瓜/胡瓜)	Cucumber/Zucchini
青葱	Green Onion
洋葱	Onion
甜菜	Beets
菠菜	Spinach
蘆荀	Asparagus
包心菜(椰菜)	Cabbage
西蘭花	Broccoli
紅蘿蔔	Carrot
馬鈴薯:	Potato:
片	Chips
焗	Baked
薯蓉	Mashed

椰菜花	Cauliflower
豌豆及豆類	Peas and beans

E. 一些慣用詞 — Some useful words

小食	Snack
早餐	Breakfast
午餐	Lunch
下午茶	Afternoon tea
晚餐	Dinner
餐單	Menu
一塊	One slice
肉丸	Meatball
柳條	Fillet
汁	Sauce
糖	Sugar
鹽	Salt
代糖	Sugar substitute (Saccharin, Sweet'N Low)
肉汁	Gravy
芥末	Mustard
果醬	Jam
胡椒	Pepper
茄醬	Ketchup
糖漿	Syrup
沙律醬	Salad dressing
炸	Deep fry
焗(烘)	Bake
燜	Stew
蒸	Steam
燒烤	Grill

水	Water
茶	Tea
湯	Soup
果汁	Juice
咖啡 :	Coffee :
有咖啡鹼(因)	With caffeine
無咖啡鹼(因)	Decaffeinated
纖維	Fibre

出院　Discharge

出院時可能有下列請求:
Upon discharge a patient may have the following requests:

a. 轉介社工/家務助理(希望能説國語/廣東話)
Could I be **referred** to a **social worker/homecare worker** who can speak **Mandarin/Cantonese**?

b. 如何使用藥物/有何副作用
How should I **take** the **medication**? Are there **any side effects**?

c. 何時覆診
When should I **see the doctor again**?

醫療部門及設施

第四章

4 MEDICAL DEPARTMENTS *and* FACILITIES

HOSPITAL RECEPTION

Outpatient Department (O.P.D.)　門診部

Admitting Office　收症室

Cardiac Care Unit (C.C.U.)　心臟護理部

Physiotherapy Department　物理治療部

醫院 / Hospital

醫院	Hospital
門診部	Outpatient Department (O.P.D.)
急症室	Emergency Department / Room (E.R.)
收症室	Admitting Office
病房	Ward
私家/半私家/ 普通病房	Private / Semi-private / Standard Room
產房	Labour / Delivery Room
殮房	Mortuary
手術室	Operation Room
康復室	Recovery Room
觀察室	Observation Room
善終／寧養服務	Hospice Care
紓緩服務	Palliative Care
心臟護理部	Cardiac Care Unit (C.C.U.)
末期護理部	Terminal Care Unit (T.C.U.)
延續護理部	Extended Care Unit (E.C.U.)
深切治療部	Intensive Care Unit (I.C.U.)
藥房	Pharmacy
X光部	X-ray Department
化驗所	Laboratory
腫瘤部門	Oncology Unit
放射治療部	Radiotherapy Unit
物理治療部	Physiotherapy Department
語言治療部	Speech Therapy Unit
職業治療部	Occupational Therapy Department

另類醫學	Alternate Medicine
統計學部門	Statistics Department
病歷貯藏部門	Records Department
老人院	Seniors Home / Home for the Aged
醫務所	Medical Office / Clinic
護理院	Nursing Home / Care Home
牙科診所	Dental Clinic
療養院	Convalescence Home
康復中心	Rehabilitation Centre
家居護理服務	Home Care Services
勞工賠償局	Workers' Compensation Board
公共衛生中心	Public Health Unit

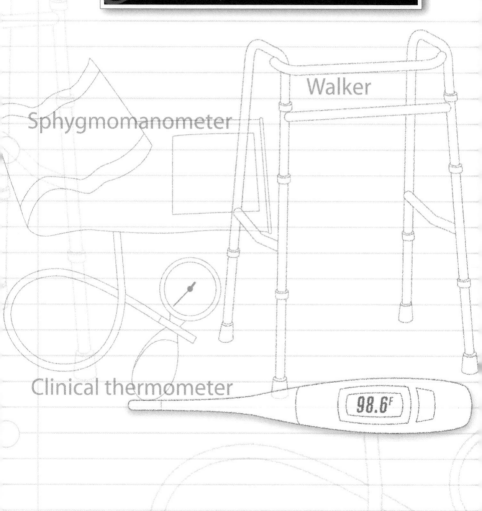

第五章

醫療用品及器材

MEDICAL SUPPLIES *and* APPLIANCES

Walker

Sphygmomanometer

Clinical thermometer

98.6°F

甘油	Glycerin
洗劑	Lotion
乳劑	Cream
酒精	Alcohol/Spirit
碘酒	Tincture of iodine
藥片	Tablet
藥膏	Ointment
葡萄糖	Glucose/Dextrose
潤滑劑	Lubricant
生理鹽水	Normal saline
消毒藥水	Disinfectant/Antiseptic
藥水/糖漿	Mixture/Syrup
枕	Pillow
氈	Blanket
口罩	Mask
托盆	Tray
冰袋	Ice bag
床單	Bed sheet
餐巾	Napkin
便盆	Bedpan
尿布	Diaper/nappy
尿壺	Urinal
紗布	Gauze
膠布	Adhesive tape
手杖	Cane
輪椅	Wheelchair
繃帶	Bandage
三腳架	Tripod
助行架	Walker

便溺器(放在床邊用)	Bedside commode
棉花球	Cotton wool
棉花棒	Cotton swabs
護膝/肘	Knee/Elbow pad
拐杖/腋杖	Crutch
塗藥膠布	Adhesive plaster
針筒	Injection syringe
導管	Catheter
血壓計	Sphygmomanometer
夾骨板	Splint
支撐器	Stent
洗耳唧	Ear syringe
洗眼杯	Eye cup
洗鼻唧	Nose syringe
探熱針(口/肛)	Clinical thermometer (oral/rectal)
聽診器	Stethoscope
心臟起搏器	Pacemaker
義肢/人造器官	Prosthesis

一些常用藥物
SOME COMMON MEDICATIONS

喉糖	Throat lozenge
漱喉液	Mouth gargle
止痕藥	Antipruritic drug
止痛藥	Pain killer/Analgesic
止嘔藥	Antiemetic drug
止瀉藥	Antidiarrhea medication
安眠藥	Sleeping pill
抗生素	Antibiotic
抗酸劑	Antacid
抗凝劑	Anticoagulant
利尿劑	Diuretic
咳藥水	Cough mixture
止咳	Suppressant
化痰	Expectorant
退燒藥	Antipyretic drug
消化藥	Digestive drug
消炎藥	Anti-inflammatory drug
胰島素	Insulin
開胃藥	Appetite stimulant

喉糖	Throat lozenge
漱喉液	Mouth gargle
止痕藥	Antipruritic drug
止痛藥	Pain killer/Analgesic
止嘔藥	Antiemetic drug
止瀉藥	Antidiarrhea medication
安眠藥	Sleeping pill
抗生素	Antibiotic
抗酸劑	Antacid
抗凝劑	Anticoagulant
利尿劑	Diuretic
咳藥水	Cough mixture
止咳	Suppressant
化痰	Expectorant
退燒藥	Antipyretic drug
消化藥	Digestive drug
消炎藥	Anti-inflammatory drug
胰島素	Insulin
開胃藥	Appetite stimulant
減肥丸	Anti-obesity drug
解毒劑	Antidote
輕瀉劑	Laxative
類固醇	Steroid
鎮靜劑	Sedative/Tranquillizer
止咳藥／片	Cough drop/lozenge
心絞痛藥（硝化甘油）	Angina medication (Nitroglycerine)
墊	Skin pad
含下	Sublingual
抗凝血劑（薄血丸）	Anticoagulant
噴劑	Spray

抗羊癇藥	Antiepileptic drug
抗風濕藥	Antirheumatic drug
抗病毒藥	Anti-viral drug
抗敏感藥	Antihistamine
抗抑鬱藥	Anti-depressant
亞士匹靈	Aspirin
胃潰瘍藥	Ulcer-healing drug
通鼻塞藥	Nasal decongestant drug
陰道塞藥	Vaginal suppository
塞肛藥／膏（痔瘡用）	Rectal suppository/cream
盤尼西林	Penicillin
口服降糖藥／糖尿丸	Oral hypoglycemic drug/ Anti-diabetic drug
抗高血壓藥	Antihypertensive agent
抗心律紊亂藥	Antiarrhythmic agent
非類固醇抗炎劑	Non-steriodal anti-inflammatory drugs (NSAIDS)

註：

處方藥物　Prescription drugs

非處方藥物　Over-the-counter drugs

第七章

檢查及化驗

DIAGNOSTIC EXAMINATIONS *and* TESTS

反應檢查	Check reflexes
全身檢查	General check up
血壓量度	Check blood pressure
脈搏量度	Check pulse
視覺測驗	Sight test
聽覺測驗	Hearing test
體溫量度	Take temperature
血液化驗	Blood tests
配血	Crossmatching
血型鑒定	Blood group typing
血球計算	Complete blood count
骨髓檢查	Bone marrow biopsy/aspiration
白血球計算	White blood cell count
血小板計算	Platelet count
血色素量度	Haemoglobin estimation
血脂肪檢查	Blood lipid profile
紅血球計算	Red blood cell count
甲胎蛋白檢查	α-fetal protein test
肝功能化驗	Liver function test
腎功能化驗	Renal function test
染色體排列	Chromosome pattern
風濕因子測試	Rheumatoid factor test
耐糖量測試	Glucose tolerance test (GTT)
愛滋病毒測試	HIV test
甲狀腺功能測試	Thyroid function test
三酸甘油酯測試	Triglyceride level test
膽固醇濃度測試(註)	Cholesterol level test
血清尿酸含量測試	Serum uric acid test

All Diagnostic Examinations

Number of Radiologists

50.3

0.0 2.5 5.5 8.2 11.3 15.8

Abnormal ... tion Rate

反應檢查	Check reflexes
全身檢查	General check up
血壓量度	Check blood pressure
脈搏量度	Check pulse
視覺測驗	Sight test
聽覺測驗	Hearing test
體溫量度	Take temperature
血液化驗	Blood tests
配血	Crossmatching
血型鑒定	Blood group typing
血球計算	Complete blood count
骨髓檢查	Bone marrow biopsy/aspiration
白血球計算	White blood cell count
血小板計算	Platelet count
血色素量度	Hemoglobin estimation
血脂肪檢查	Blood lipid profile
紅血球計算	Red blood cell count
甲胎蛋白檢查	Alpha-fetal protein test
肝功能化驗	Liver function test
腎功能化驗	Renal function test
染色體排列	Chromosome pattern
風濕因子測試	Rheumatoid factor test
耐糖量測試	Glucose tolerance test (GTT)
愛滋病毒測試	HIV test
甲狀腺功能測試	Thyroid function test
三酸甘油酯測試	Triglyceride level test
膽固醇濃度測試(註)	Cholesterol level test
血清尿酸含量測試	Serum uric acid test
非典(沙士)/禽流感血清測試	SARS/Avian Flu serology test

空腹血糖濃度測試	Fasting blood sugar level test
肝炎抗原及抗體檢查	Hepatitis antigen and antibody tests
前列腺特定抗原檢查	Prostate specific antigen test (PSA)
脫氧核糖核酸基因檢驗	Deoxyribonucleic acid (DNA) genetic test

驗孕	Pregnancy test
痰化驗	Sputum analysis
小便化驗	Urinalysis
大便化驗	Stool routine test
大便隱血	Stool occult blood test
病毒培養	Viral culture
細菌培養	Bacterial culture
精液化驗	Semen analysis
脊髓液化驗	Cerebrospinal fluid analysis
子宮頸抹片檢查	Pap smear test

四肢X光檢查	X-ray of limbs
胸部X光檢查	X-ray of chest
腹部X光檢查	X-ray of abdomen
頭部X光檢查	X-ray of skull
乳腺X光檢查	Mammogram

骨掃描	Bone scan
腎掃描	Renal scan
腦掃描	Brain scan
電腦掃描	CAT scan
甲狀腺掃描	Thyroid scan
同位素檢查	Isotope study
骨質密度測定法	Bone densitometry
雙光子吸光測定法	Dual energy X-ray absorptiometry (DEXA)
正電子發射體層掃描	Positive emission tomography (PET)

單光子發射計算體層掃描	Single photon emission computerized tomography (SPECT)
心電圖	ECG/EKG (Electrocardiogram)
腦電圖	EEG (Electroencephalogram)
運動心電圖	Stress/Tread-mill ECG
超聲波檢查	Ultrasound study
動脈搏描圖	Arteriogram
腦血管造影術	Cerebral angiography
磁力共振造影	MRI (Magnetic resonance imaging)
靜脈腎盂造影	Intravenous pyelogram (IVP)
心臟超聲波檢查	Echocardiogram
超聲波血流檢查	Doppler ultrasound study
細菌培殖	Bacterial culture
陰道窺鏡	Vaginal speculum
內窺鏡檢查	Endoscopy
直腸鏡檢查	Proctoscopy
胃部鏡檢查	Gastroscopy
活組織檢查	Tissue biopsy
（肺 / 乳房 / …）	(Lung/Breast/…)
結腸鏡檢查	Colonoscopy
腹腔鏡檢查	Laparoscopy/Laparoscopic examination
膀胱鏡檢查	Cystoscopy
關節鏡檢查	Arthroscopy
支氣管鏡檢查	Bronchoscopy
乙狀結腸鏡檢查	Sigmoidoscopy
子宮頸活組織檢查	Cervical biopsy
子宮內膜活組織檢查	Endometrial biopsy

註：

「好的」膽固醇　HDL cholesterol (High density lipoprotein)

「壞的」膽固醇　LDL cholesterol (Low density lipoprotein)

第八章 8

一些常用詞彙
SOME USEFUL TERMS

危殆　Critical condition

灼傷　Burn

扭傷　Sprain

瘀	Bruise
中毒	Poisoning
中暑	Sun stroke/Heat stroke
手術	Operation
化療	Chemotherapy
包紮	Dressing
休克	Shock
危殆	Critical condition
灼傷	Burn
扭傷	Sprain
狗咬	Dog bite
併發	Complication
受傷	Injury
沸傷	Scald
治療	Treatment
退化	Degeneration
急性	Acute
慢性 / 長期性	Chronic
疫苗	Vaccine
症狀	Symptom
病毒	Virus
根治	Cure
復發	Relapse
缺氧	Anoxia
挫傷	Contusion
氧氣	Oxygen
脈搏	Pulse
處方	Prescription
脫臼	Dislocation
窒息	Suffocation

細菌	Bacteria/Germ/Bug
敏感	Allergy
復元	Recovery
發炎	Inflammation
勞損	Strain
復發	Relapse/Recurrence
創傷	Trauma
診斷	Diagnosis
意外	Accident
感染	Infection
節食	On diet
會診	Consultation
腫塊	Lump/Mass/Nodule
腫脹	Swelling
褪皮	Peeling
慢性	Chronic
遺傳	Heredity
瘟疫	Epidemic
激光	Laser
輸血	Blood transfusion
縫針	Stitching
擴散	Spread
癖好	Addiction
轉移（癌細胞）	Metastasis
斷裂	Fracture

打石膏	Casting (Plaster of Paris)
先天性	Congenital
亞急性	Subacute
後天性	Acquired
原發性	Primary
淋巴結	Lymph node/gland

副作用	Side effect
救護車	Ambulance
紫外線	UV (Ultraviolet)
過敏性	Hypersensitivity
傳染病	Infectious disease
繼發性	Secondary

太陽灼傷	Sun burn
皮下注射	S.C. (Subcutaneous injection)
肌肉注射	I.M.(Intramuscular injection)
抗癌化療	Cancer chemotherapy
放射治療	Radiotherapy
注射／打針	Injection/Shot
病情紓緩	Remission
高膽固醇	High cholesterol
淋巴系統	Lymphatic system
接觸傳染	Contagious
傷殘人士	Disabled/Handicapped
病情預測／預後	Prognosis
靜脈注射／輸液	I.V. (Intravenous) injection/infusion

人工呼吸	AR (Artificial Respiration)
急救服務	EMS (Emergency Medical Service)
心肺復甦術	CPR (Cardiopulmonary Resuscitation)
現場急救處理	ESM (Emergency Scene Management)

檢查及護理三部曲（呼吸通道、呼吸、血液循環／脈搏）	Check & ensure ABC (Airway, Breathing, Circulation/Pulse)

第二部分
徵狀與疾病
SYMPTOMS AND DISEASES

人體正面圖 (男性)
Human Body Front View (Male)

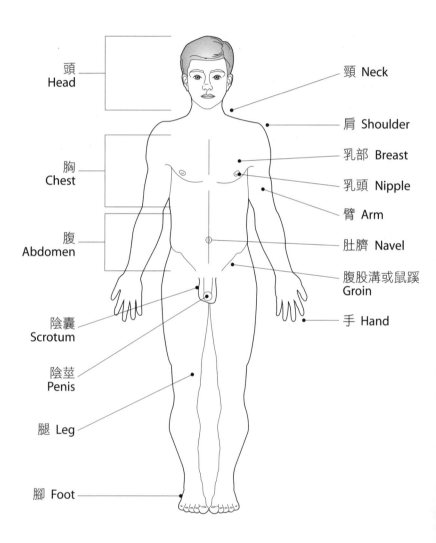

頭
Head

頸 Neck

肩 Shoulder

乳部 Breast

乳頭 Nipple

胸
Chest

臂 Arm

肚臍 Navel

腹
Abdomen

腹股溝或鼠蹊
Groin

陰囊
Scrotum

手 Hand

陰莖
Penis

腿 Leg

腳 Foot

人體背面圖 (女性)
Human Body Back View (Female)

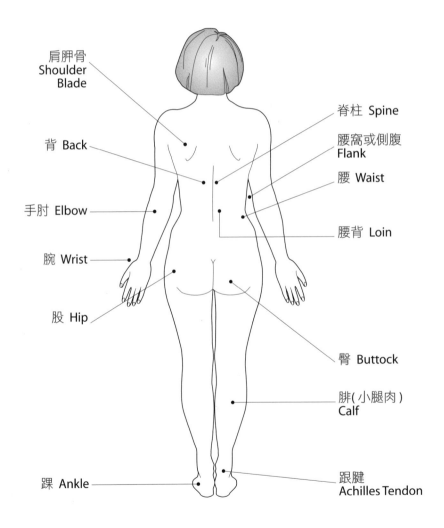

肩胛骨
Shoulder
Blade

背 Back

手肘 Elbow

腕 Wrist

股 Hip

踝 Ankle

脊柱 Spine

腰窩或側腹
Flank

腰 Waist

腰背 Loin

臀 Buttock

腓(小腿肉)
Calf

跟腱
Achilles Tendon

第九章

頭部：頭、眼、耳、鼻、口及喉

THE HEAD – HEAD・EYE・EAR・NOSE・MOUTH and THROAT

麻痺	I feel PINS and NEEDLES in my fa...
碰傷	I fell and HIT my head.
腫塊	I have a LUMP on my head.
頭暈	I often feel DIZZY/FAINT.
頭劇痛	I have a SEVERE HEADACHE.
無知覺 / 麻木	I feel NUMBNESS in my face.
頰 / 頦部陣痛 / 刺痛	I have an ON and OFF/TINGLING in my CHEEK/CHIN.
太陽穴輕微/嚴重/跳痛	I have a MILD/SEVERE/THROBBI... PAIN in both TEMPLES

頭
眼
耳
鼻

頭部	Head
麻痺	I feel **pins and needles** in my face.
碰傷	I fell and **hit** my head.
腫塊	I have a **lump** on my head.
頭暈	I often feel **dizzy/faint**.
頭劇痛	I have a **severe headache**.
無知覺 / 麻木	I feel **numbness** in my face.
頰 / 頦部陣痛 / 刺痛	I have an **on and off/tingling pain** in my **cheek/chin**.
太陽穴輕微/嚴重/跳痛	I have a **mild/severe/throbbing pain** in both **temples**.

頭部 Head

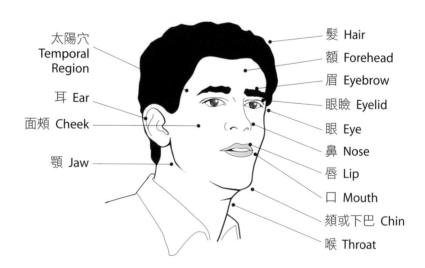

太陽穴 Temporal Region

髮 Hair

額 Forehead

眉 Eyebrow

眼瞼 Eyelid

耳 Ear

面頰 Cheek

顎 Jaw

眼 Eye

鼻 Nose

唇 Lip

口 Mouth

頦或下巴 Chin

喉 Throat

頭部切面圖
Head Sectional View

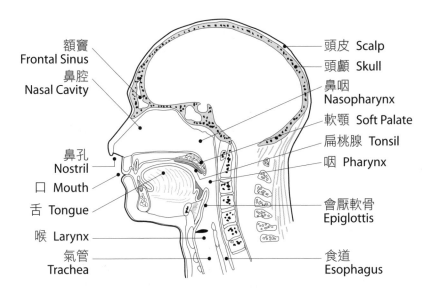

額竇
Frontal Sinus

鼻腔
Nasal Cavity

鼻孔
Nostril

口 Mouth

舌 Tongue

喉 Larynx

氣管
Trachea

頭皮 Scalp

頭顱 Skull

鼻咽
Nasopharynx

軟顎 Soft Palate

扁桃腺 Tonsil

咽 Pharynx

會厭軟骨
Epiglottis

食道
Esophagus

眼部	**Eye**
沙粒	My eyes feel **gritty/sandy**.
光環	I always see **haloes** around an object.
畏光	**Bright light bothers** me.
重視	I have **double vision**.
眼痛	I have **sore eyes**.
乾澀	My eyes feel **dry**.
飛蚊症	I often see **floaters**.
流眼水	I have **watery eyes**.
眼蓋腫	My **eyelid** is **swollen**.
眼蓋痕癢	My **eyelid** often **itches**.
視覺模糊	**I can't see clearly.**
視力衰退 / 視覺模糊	My **eye-sight decreases gradually** and I **find the objects blurred**.
視覺模糊(夜盲)	I have **difficulty in seeing at night**.
有適當眼鏡仍看不清	**I can't see clearly** even with **suitable eye-glasses**.
物體變形	I often see **distorted images**.
視像中有黑影	I often see **something dark moving about**.
濕/黏性/膿狀分泌物	My eyes have **wet/sticky/pussy discharge**.
眼部/顴部劇痛/刺痛/隱痛	I have a **severe/smarting/dull pain** in and around my **eye/cheekbone**.

眼正面圖
Eye Front View

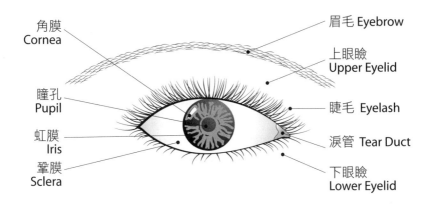

角膜
Cornea

眉毛 Eyebrow

上眼瞼
Upper Eyelid

瞳孔
Pupil

睫毛 Eyelash

虹膜
Iris

淚管 Tear Duct

鞏膜
Sclera

下眼瞼
Lower Eyelid

眼球切面圖
Eye Ball Sectional View

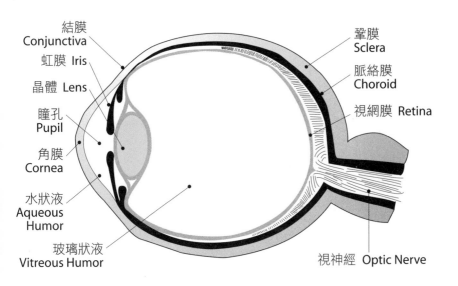

結膜
Conjunctiva

鞏膜
Sclera

虹膜 Iris

脈絡膜
Choroid

晶體 Lens

視網膜 Retina

瞳孔
Pupil

角膜
Cornea

水狀液
Aqueous
Humor

玻璃狀液
Vitreous Humor

視神經 Optic Nerve

耳部	Ear
耳垢	I have a lot of **ear wax**.
耳鳴	I have **ringing** in my **ears**.
重聽	I often hear **echoes**.
耳內灼痛	I feel **burning hot** inside my ear.
流膿/流水	I have had **ear discharge**. It is **pus/fluid**.
部分失聰	I have noticed **some loss of hearing**.
旋轉性眩暈、嘔吐、作悶	I often feel **spinning** and have **vomiting** and **nausea**.

耳的構造 Ear

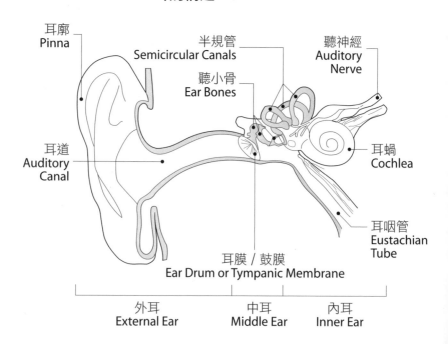

耳廓
Pinna

半規管
Semicircular Canals

聽神經
Auditory
Nerve

聽小骨
Ear Bones

耳道
Auditory
Canal

耳蝸
Cochlea

耳咽管
Eustachian
Tube

耳膜 / 鼓膜
Ear Drum or Tympanic Membrane

外耳
External Ear

中耳
Middle Ear

內耳
Inner Ear

鼻部	Nose
鼻塞	My **nose** is **stuffy** and I can't breathe easily.
鼻鼾	I **snore** loudly.
噴嚏	I **sneeze** too often.
流鼻水	I have a **runny nose**.
流鼻血	I have **nose bleeds**.
流鼻涕	I have a lot of **nasal discharge**.
鼻流膿	I have **pussy discharge** in my **nose**.
鼻痕癢	My **nose** often **itches**.
失去嗅覺	I have **lost** my **sense of smell**.
呼吸作響	I **breathe noisily**.
鼻涕帶血	My **nasal discharge** is **stained** with **blood**.
黏液流入鼻後方	I have **postnasal drip**.
花粉/天氣變化/塵粒敏感	My nose is **sensitive** to **pollen/weather changes/dust**.

口部及喉部	Mouth and Throat
失聲	I have **lost** my **voice**.
舌苔	I have a **dry/furry tongue**.
阻塞	I feel some **obstruction** in my **throat**.
苦澀	I feel a **bitter taste** on my **tongue**.
嗆喉	I often **choke** when I eat/drink.
流口水	I often **drool**.
吞嚥困難	I have **difficulty** in **swallowing**.
常要清喉	I often have to **clear** my **throat**.
發聲嘶啞	I have a **hoarse voice**.
喉痛/痕癢/紅腫	I have a **sore/itching/red** and **swollen throat**.

一些常見缺陷 / 疾病	Some common defects/ diseases
口瘡	Canker sores
白喉	Diphtheria
耳鳴	Tinnitus
舌炎	Glossitis
沙眼	Trachoma
色盲	Colour blindness
近視	Myopia (near/short-sightedness)
咽炎	Pharyngitis
斜視 (鬥雞眼)	Squint (strabismus)
散光	Astigmatism
喉炎	Laryngitis
遠視	Hyperopia (far/long-sightedness)
鼻炎	Rhinitis
中耳炎	Otitis media
外耳炎	Otitis externa
白內障	Cataract
青光眼	Glaucoma
老花眼	Presbyopia
夜盲症	Nyctalopia
老人環/角膜弓	Arcus senilis (corneal arcus)
耳膜穿破	Perforation of eardrum
鼻出血	Epistaxis
鼻息肉	Nasal polyp
鼻咽癌	Nasopharyngeal cancer (NPC)
鼻竇炎	Sinusitis
老年失聰	Presbycusis
瞼腺炎(眼挑針)	Styes
扁桃腺炎	Tonsillitis
眼結膜炎(紅眼症)	Conjunctivitis

視網膜炎	Retinitis
視網膜退化	Retinosis/Retinal degeneration
視網膜脫落	Retinal detachment
過敏性鼻炎	Allergic rhinitis
視膜斑點退化	Macular degeneration
糖尿視網膜病	Diabetic retinopathy
阻塞性睡眠窒息	Obstructive Sleep Apnea Syndrome (OSAS)
視網膜動脈硬化	Arterio-sclerotic retinopathy

心、肺科
HEART *and* LUNG

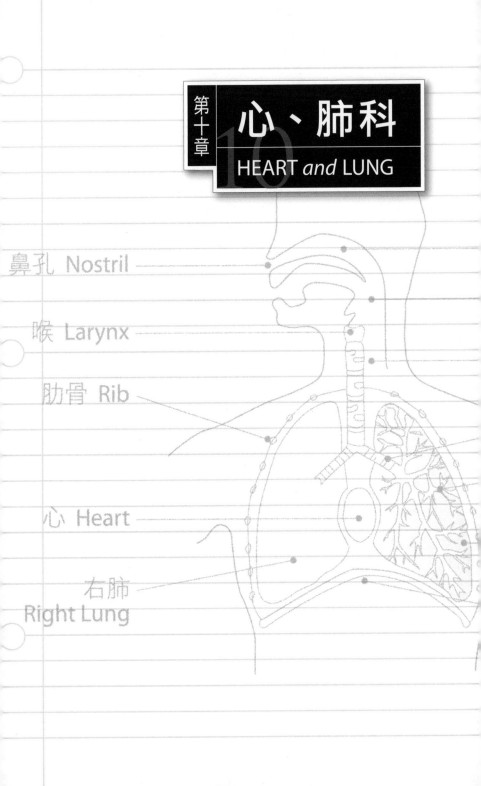

鼻孔 Nostril

喉 Larynx

肋骨 Rib

心 Heart

右肺
Right Lung

頭暈	I feel **dizzy/giddy**.
不省人事	I **passed out/fainted** this morning/yesterday/….
血壓高 / 低	Please check my **blood pressure**. I have **hypertension/hypotension** history.
旋轉感覺	I have a **sense of spinning** when I stand up/lie down/walk/….
暫時性昏厥	I had a sudden **black out** this morning/yesterday/….
心跳劇烈	My **heart** was **beating extremely fast** this morning/yesterday/….
心跳不規則	I have **irregular heartbeats** all the time.
心跳忽停頓	I felt a **sudden stop** in my **heartbeat** this morning/yesterday/….
胸痛	I had a **chest pain** this morning/yesterday/….
胸翳悶	My **chest** feels **tight** after meals/exercise/….
胸部灼痛	I have a **burning feeling** in my **chest**.
胸痛，流冷汗兼嘔吐	I had a severe **chest pain**, **cold sweating** and **vomiting** this morning/yesterday/….
肩痛擴散至腋窩 / 左臂	I feel a **pain** around the **shoulder area**, **radiating** to the **armpit/left arm**.

心臟外表圖
Heart External View

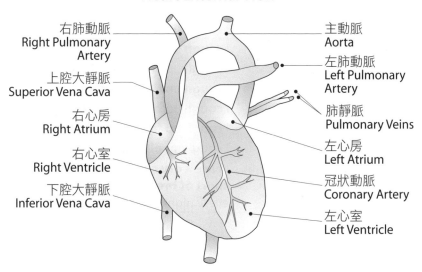

右肺動脈
Right Pulmonary Artery

上腔大靜脈
Superior Vena Cava

右心房
Right Atrium

右心室
Right Ventricle

下腔大靜脈
Inferior Vena Cava

主動脈
Aorta

左肺動脈
Left Pulmonary Artery

肺靜脈
Pulmonary Veins

左心房
Left Atrium

冠狀動脈
Coronary Artery

左心室
Left Ventricle

心臟切面圖
Heart Sectional View

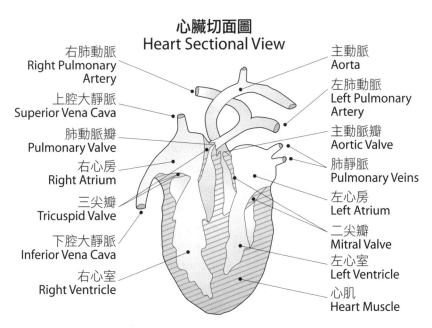

右肺動脈
Right Pulmonary Artery

上腔大靜脈
Superior Vena Cava

肺動脈瓣
Pulmonary Valve

右心房
Right Atrium

三尖瓣
Tricuspid Valve

下腔大靜脈
Inferior Vena Cava

右心室
Right Ventricle

主動脈
Aorta

左肺動脈
Left Pulmonary Artery

主動脈瓣
Aortic Valve

肺靜脈
Pulmonary Veins

左心房
Left Atrium

二尖瓣
Mitral Valve

左心室
Left Ventricle

心肌
Heart Muscle

咳血	I **cough** up **blood**.
咳嗽	I **cough** a lot.
哮喘	I had **asthma** in the past.
乾咳	I have a **dry cough**.
咳帶白痰	I **cough** up **white sputum**.
咳帶灰痰	I **cough** up **grey sputum**.
咳帶黃痰	I **cough** up **yellow sputum**.
咳帶濃痰	I **cough** up **thick sputum**.
咳帶血絲痰	I **cough** up **blood-streaked sputum**.
咳帶泡沫痰	I **cough** up **frothy sputum**.
咳帶粉紅痰	I **cough** up **pink sputum**.
乾咳，呼吸困難，兼喘鳴	I have a **dry cough** and feel **short of breath** with **wheezing** every night/morning/….
午後微熱	I often have a **slight fever** in the **afternoon**.
高熱兼咳嗽	I have a **high fever** with **cough**.
間歇性發熱	I have **fever on and off**.
靜止時 / 用力後，呼吸困難 / 氣促	I feel **short of breath** at **rest**/ after **exertion**.

一些常見疾病　　　　　　Some common diseases

肺炎	Pneumonia
哮喘	Asthma
咯血	Hemoptysis
氣胸	Pneumothorax
心肌炎	Myocarditis
心肺病 (慢性肺原性心臟病)	Cor pulmonale/Chronic obstructive pulmonary disease
心絞痛	Angina
低血壓	Hypotension
冠心病	Coronary heart disease

呼吸系統
Respiratory System

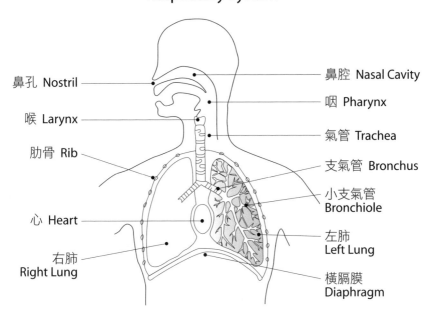

鼻孔 Nostril

喉 Larynx

肋骨 Rib

心 Heart

右肺
Right Lung

鼻腔 Nasal Cavity

咽 Pharynx

氣管 Trachea

支氣管 Bronchus

小支氣管
Bronchiole

左肺
Left Lung

橫膈膜
Diaphragm

肺栓塞	Pulmonary Embolism
肺水腫	Pulmonary Edema
肺膜炎	Pleuritis
肺氣腫	Emphysema
肺結核	Tuberculosis (TB)
肺積水	Pleural effusion
高血壓	Hypertension
心內膜炎	Endocarditis
心外膜炎	Pericarditis
心肌栓塞	Myocardial infarction (MI)
心率失調	Arrhythmia
心跳突停	Cardiac arrest
心瓣狹窄	Valve stenosis
心臟衰竭	Heart failure
支氣管炎 (急性/慢性)	Bronchitis (acute/chronic)

血管栓塞	Embolism
血栓形成	Thrombosis
靜脈血栓	Deep vein thrombosis (DVT)
二尖瓣狹窄	Mitral stenosis
心臟併發症	Heart complication
支氣管肺炎	Bronchopneumonia
支氣管擴張	Bronchiectasis
突發性心跳	Paroxysmal tachycardia
上呼吸道感染	Upper respiratory infection (URI)
心臟傳導阻滯	Heart block
先天性心臟病	Congenital heart disease
血管粥樣硬化	Atherosclerosis
急性心肌壞死	Acute Myocardial Ischemia (AMI)
缺血性心臟病	Ischemic heart disease (IHD)
風濕性心臟病	Rheumatic heart disease
冠狀血管閉塞	Coronary occlusion
心瓣關閉不健全	Valve incompetence
慢性阻塞性肺病	Chronic obstructive pulmonary disease (COPD)
充血性心力衰竭	Congestive cardiac/ heart failure (CHF)

心臟手術   Heart Surgery

人工心瓣更換	Valve replacement
心臟移植	Heart transplant
心導管插入術	Cardiac catheterization
心臟血管搭橋手術	Coronary artery by-pass operation
心臟血管擴闊手術 （血管貫通）	Angioplasty

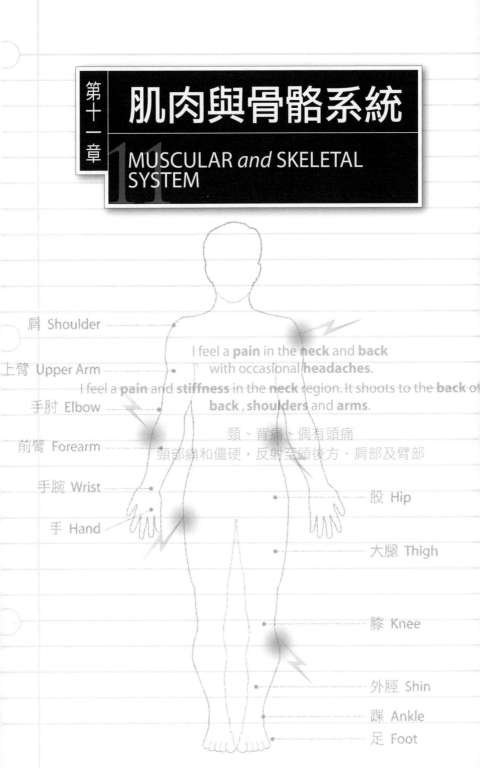

肌肉與骨骼系統

11 MUSCULAR *and* SKELETAL SYSTEM

肩 Shoulder

上臂 Upper Arm

手肘 Elbow

前臂 Forearm

手腕 Wrist

手 Hand

I feel a **pain** in the **neck** and **back**
with occasional **headaches**.

I feel a **pain** and **stiffness** in the **neck** region. It shoots to the **back of**
back , **shoulders** and **arms**.

頸、背痛、偶有頭痛
頸部痛和僵硬，反射至頭後方、肩部及臂部

股 Hip

大腿 Thigh

膝 Knee

外脛 Shin

踝 Ankle

足 Foot

頸、背痛、偶有頭痛	I feel a **pain** in the **neck** and **back** with **occasional headaches**.
頸部痛和僵硬，反射至頭後方、肩部及臂部	I feel a **pain** and **stiffness** in the **neck** region. It shoots to the **back** of the **head**, **shoulders** and **arms**.
肩部痛和僵硬，反射至臂/手	I feel a **pain** and **stiffness** around the **shoulders**. It shoots to the **arms/hands**.
提臂/轉動時，肩部劇痛	I feel a great **pain** in my **shoulder** when I **raise/rotate** my **arm**.
肘部和前臂痛/壓痛，反射至手腕	I feel a **pain/tenderness** in my **elbow** and **forearm**. It shoots to the **wrist**.
背肌痛	I feel a **pain** in the **back muscles**.
背部肌肉抽筋，移動困難	I have **muscle spasm** in my **back**. I can **hardly move**.
背部痛楚僵硬，上身不能扭動	I feel a **pain** and **stiffness** in the **back**. I can't **twist** my **body**.
左/右腰窩絞痛	I feel a **cramping pain** in my **left/right flank**.
腰部痛	I feel a **pain** around the **waist**.
腰背痛	I feel a **pain** in the **small** of my **back**.
手指/下肢無知覺及麻痺	My **fingers/lower limbs** are **numb** and sometimes feel **pins and needles**.
下背部痛及僵硬，反射至臀部、大腿，直至腳部、足部	I feel a **pain** and **stiffness** in the **lower back**. It **radiates** to the **buttock**, **thigh** and down to the **leg** and the **foot**.
股部、臀部、肩部痛楚	I feel a **pain** in my **hips**, **buttocks** and **shoulders**.
脊骨底部痛，肌肉繃緊	I feel a **pain** at the **base** of the **spine**. The **muscles** are **tightened up**.

臂和腿
Arm and Leg

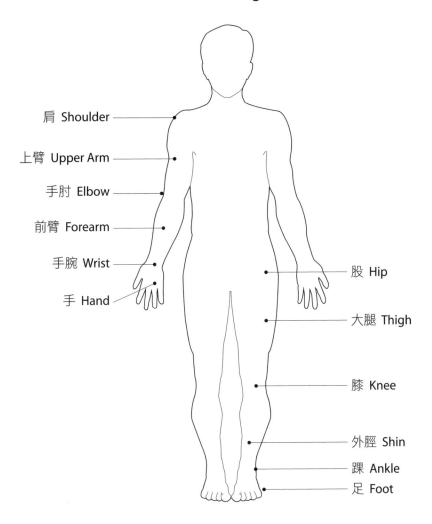

肩 Shoulder

上臂 Upper Arm

手肘 Elbow

前臂 Forearm

手腕 Wrist

手 Hand

股 Hip

大腿 Thigh

膝 Knee

外脛 Shin

踝 Ankle

足 Foot

下肢痛，包括足趾、足背、踝和跟	I feel a **pain** in my **lower limb**, including **toe**, **instep**, **ankle** and **heel**.
小腿抽筋	I have frequent **spasms** in my **calves**.
大趾腫痛	My **big toe** is **swollen** and it **hurts**.
關節僵硬	I feel **stiffness** in my **joints**.
膝踝關節腫脹	My **knee joints/ankles swell**.
四肢軟弱	I feel **weak** in the **limbs**.
全身痛楚和僵硬，天氣轉變尤甚	I feel a **pain** and **stiffness all over**. It becomes **worse** when the **weather changes**.
全身無力，頭痛，失眠	I suffer from **fatigue**, frequent **headaches** and **can't sleep**.
睡後醒來三手指/手掌刺痛/麻痺/僵硬	I feel **burning pain/numbness/ stiffness** on **three fingers/palm** after sleeping and waking up in the morning.

手部 Hand

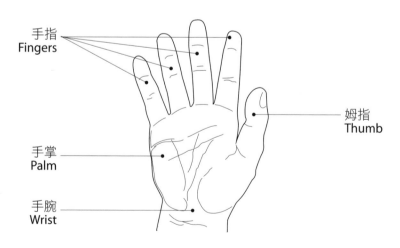

手指
Fingers

姆指
Thumb

手掌
Palm

手腕
Wrist

足部 Foot

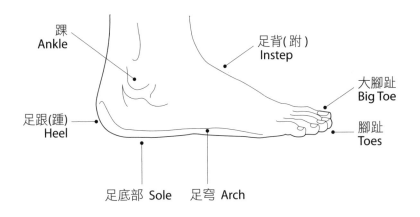

踝
Ankle

足背(跗)
Instep

大腳趾
Big Toe

足跟(踵)
Heel

腳趾
Toes

足底部 Sole　　足穹 Arch

一些常見疾病	Some common diseases
骨刺	Osteophytes (bony spurs)
脫臼	Dislocation of joint
肌炎	Myositis
肌腱炎	Tendinitis
五十肩(肩周炎)	Frozen shoulder
骨折裂	Fracture of bone
骨髓炎	Osteomyelitis
痛風症	Gout/Gouty arthritis
風濕病	Rheumatism
滑囊炎	Bursitis
網球肘	Tennis elbow
關節炎	Arthritis
紅斑狼瘡	Lupus erythematosus (LE)
骨關節炎	Osteoarthritis
多發性肌炎	Polymyositis
坐骨神經痛	Sciatica
股骨頸裂折	Fracture neck of femur

骨質疏鬆症	Osteoporosis
重症肌無力	Myasthenia gravis
頸椎僵化症	Cervical spondylosis
變形性骨炎	Osteitis deformans (Paget's disease)
纖維肌痛症	Fibromyalgia
類風濕關節炎	Rheumatoid arthritis
腕管綜合徵	Carpal tunnel syndrome
關節黏性脊椎炎	Ankylosing spondylitis

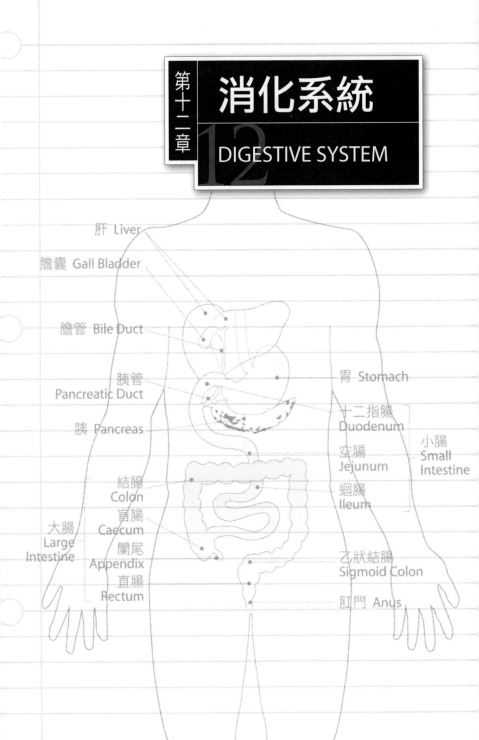

消化系統

第十二章

DIGESTIVE SYSTEM

12

肝 Liver

膽囊 Gall Bladder

膽管 Bile Duct

胰管 Pancreatic Duct

胰 Pancreas

結腸 Colon

盲腸 Caecum

闌尾 Appendix

直腸 Rectum

大腸 Large Intestine

胃 Stomach

十二指腸 Duodenum

空腸 Jejunum

迴腸 Ileum

小腸 Small Intestine

乙狀結腸 Sigmoid Colon

肛門 Anus

口臭	I have **bad breath**.
打嗝	I have **hiccups**.
吐血	**I vomited some blood** this morning/….
作悶	I often feel **nausea**.
作嘔	I feel like **vomiting**.
嘔吐	I had **vomited** _____ times this morning/….
要嘔吐	I want to **throw up**.

胃痛	I have a **stomachache**.
胃氣脹(肚谷)	I feel **bloated**.
胃部不適	I have an **upset stomach**.
食慾不振	I have **lost my appetite** recently/ for a week/….
酸液反胃	I have **acid regurgitated** from my **stomach**.
胃灼熱 / 反酸	I have **water brash** in my **stomach**.

下腹絞痛	I have a **cramping pain** in my **lower abdomen**.
消化不良	I suffer from **indigestion**.
排屁頻密	**I pass gas frequently**.
腸寄生蟲	**I pass out worms**.
腹部飽脹/脹痛	I have a **distended tummy/ distended pain**.
腹腔雷鳴(腸鳴)	There is a **gurgling sound in my tummy**.
上腹 / 右下腹隱痛 / 陣痛	I have a **dull/on and off pain** in my **upper/right lower abdomen**.

| 便血(疴血) | **I pass out blood**. |

消化系統
Digestive System

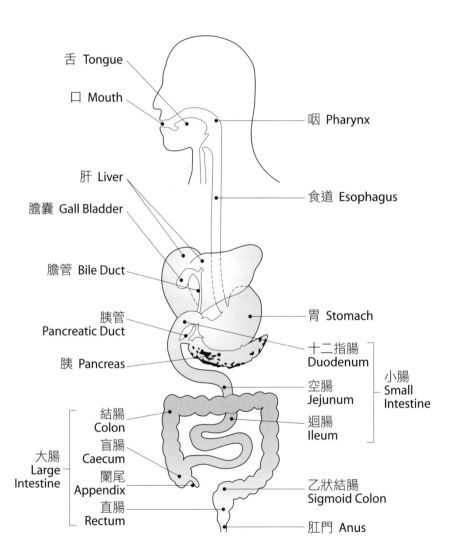

舌 Tongue

口 Mouth

咽 Pharynx

肝 Liver

膽囊 Gall Bladder

食道 Esophagus

膽管 Bile Duct

胰管 Pancreatic Duct

胃 Stomach

胰 Pancreas

十二指腸 Duodenum

空腸 Jejunum

小腸 Small Intestine

結腸 Colon

迴腸 Ileum

盲腸 Caecum

大腸 Large Intestine

闌尾 Appendix

直腸 Rectum

乙狀結腸 Sigmoid Colon

肛門 Anus

便秘/長期性	I have had **constipation** for ____days/ **chronic constipation**.
腹瀉/長期性	I have had **diarrhea** since this morning/ yesterday/**chronic diarrhea**.
大便失禁	I suffer from **fecal incontinence**.
糞便粒狀（羊糞）	My **stool** is **lumpy**.
糞便稀溏	I pass out **loose** and **watery stool**.
糞便軟條狀	My stool is **loose**.
糞便硬條狀	My stool is **hard**.
糞便漆黑色	My stool is **tarry black**.
糞便帶鮮血	There is **blood in my stool**.
糞便帶黏液	There is **mucus in my stool**.
大便習慣正常	My **bowel movement** is **normal**.
大便習慣突變	There is a **sudden change in my bowel habit**.

肛門出血	I have **bleeding** from the **anus**.
肛門灼熱	I have a **burning pain** in the **anus**.
肛門脫落	I have a **prolapsed anus**.
肛門便後難收縮	I have a **loose anus**.

一些常見疾病　　Some common diseases

吐血	Hematemesis
肝炎	Hepatitis
疝氣（小腸氣）	Hernia
胃炎	Gastritis
痔瘡	Hemorrhoid/Piles
痢疾	Dysentery
傷寒（大腸熱）	Typhoid fever
腹水	Ascites
腹瀉	Diarrhea
腸塞	Intestinal obstruction

霍亂	Cholera
膽石	Gall stone
大腸炎	Colitis
肝硬化	Cirrhosis of liver
盲腸炎（闌尾炎）	Appendicitis
迴腸炎	Crohn's disease (Ileitis)
食道炎	Esophagitis
胃下垂	Gastroptosis
胃灼熱	Heartburn
胃潰瘍	Gastric ulcer
胰腺炎	Pancreatitis
黃膽病	Jaundice
腸胃炎	Gastro-enteritis
腹膜炎	Peritonitis
膽管炎	Cholangitis
大腸過敏	Irritable bowel syndrome (IBS)
胃酸倒流	Gastro-esophageal reflux disease (GERD)
消化不良	Dyspepsia
食物中毒	Food poisoning
肝功能衰竭	Hepatic failure
十二指腸潰瘍	Duodenal ulcer

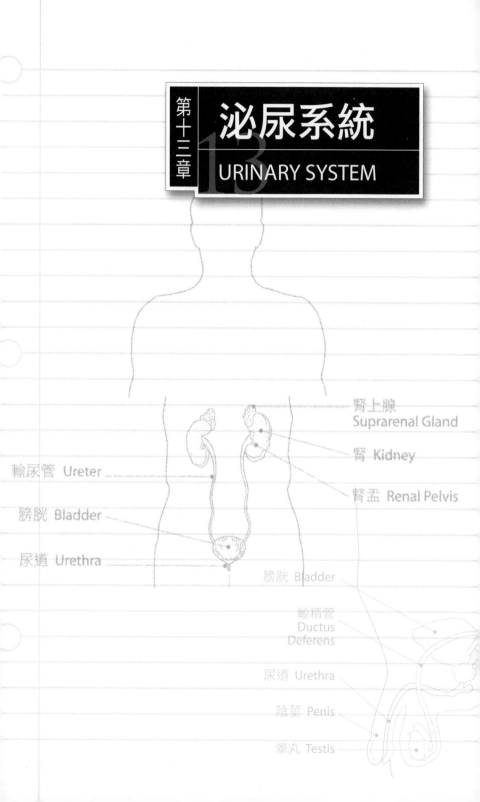

第十三章

泌尿系統
URINARY SYSTEM
13

腎上腺
Suprarenal Gland

腎 Kidney

腎盂 Renal Pelvis

輸尿管 Ureter

膀胱 Bladder

尿道 Urethra

膀胱 Bladder

輸精管
Ductus
Deferens

尿道 Urethra

陰莖 Penis

睪丸 Testis

閉尿（無尿感）	I have **not urinated** since yesterday/last night/….
腰痛	I feel a **pain in the loin/the small of my back.**
小便失禁	I **can't control** my **urination/ bladder.**
小便灼痛	There is a **burning feeling** when I **urinate.**
小便帶血	There is **blood** in my **urine.**
小便量多	I **void a lot** each time.
尿色如茶	My urine is **tea-colored.**
尿色深紅（如醬油）	I pass out **coca-cola urine.**
尿色黃濁	My urine is **cloudy yellow.**
夜尿頻繁	I **urinate frequently at night.**
排尿困難	I have **difficulty** in **passing urine.**
無法排尿（雖有尿感）	I have the urge but **can't urinate.**
小便頻而量少	I have the urge to **urinate frequently,** but pass only a **small amount** each time.
左 / 右腰窩絞痛下達鼠蹊	I feel a **cramping pain** in my **left/ right flank, down** to my **groin.**
不能排尿，膀胱脹痛	I **can't urinate** at all and my **bladder seems distended.**

泌尿系統
Urinary System

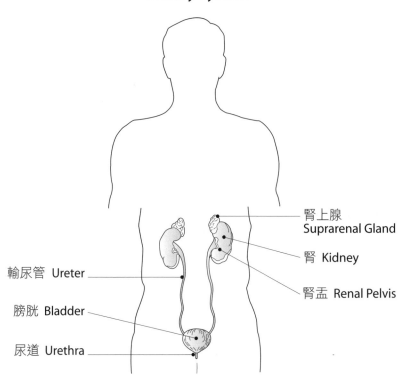

腎上腺 Suprarenal Gland

腎 Kidney

腎盂 Renal Pelvis

輸尿管 Ureter

膀胱 Bladder

尿道 Urethra

一些常見疾病 | **Some common diseases**

血尿	Hematuria
腎石	Renal stone/Kidney stone
腎炎	Nephritis
尿毒症	Uremia
尿道炎	Urethritis
腎脹大	Hydronephrosis
膀胱石	Bladder stone
膀胱炎	Cystitis
尿道石	Urethral stone
尿道感染	Urinary tract infection (UTI)

乳頭狀瘤(在膀胱內)	Bladder papilloma
輸尿管炎	Ureteritis
腎功能衰竭	Renal failure
輸尿管結石	Ureteric stone
前列腺肥大	Benign prostatic hyperplasia (BPH)
夜尿	Nocturia
尿道感染	Urinary tract infection (UTI)
腎盂腎炎	Pyelonephritis
慢性腎功能衰竭	Chronic renal failure
多尿(尿頻)	Polyuria
排尿困難	Dysuria
無尿症	Anuria
頻渴症	Polydipsia
小便失禁	Urinary incontinence
非胰島素依賴性糖尿病(第二型)	Diabetes Mellitus Non-Insulin-Dependent (NIDDM type II)

男性泌尿生殖系統
Male Urogenital System

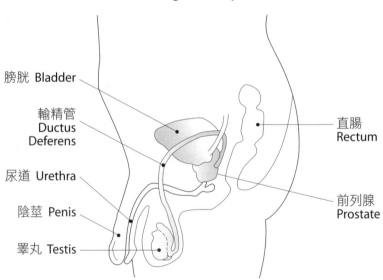

膀胱 Bladder

輸精管
Ductus
Deferens

尿道 Urethra

陰莖 Penis

睪丸 Testis

直腸
Rectum

前列腺
Prostate

失去知覺	I **lost my consciousness** this morning/….
四肢癱瘓	I can't **move my limbs**.
短暫昏厥	I had a **black-out** this morning.
突發性眩暈	I often have **sudden dizziness**
旋轉性眩暈	I felt **spinning** this morning.
頸、背部僵硬	My **neck** and **back** are stiff.
高熱,頭痛,嘔吐	I have a **high fever** and head. I also **vomited** this morning.
感覺物件晃動	I felt things **moving** this more.
耳鳴及聽覺失靈	My left/right **ear** often rings and I feel some **loss** of **hearing**.
反覆嘔吐後失去知覺	I became **unconscious** after **vomiting several times**.
唇/頰/頦部陣痛/刺痛	I have an **on** and **off tingling pain** in my **lips/cheek/chin**.
週期性左/右邊頭痛	I have **periodic headaches**, usually on the **left/right** side.
惡心/嘔吐/腹瀉/發汗	I felt **nausea** and had **vomit/ diarrhea/sweating**.
腿後方痛,由臀至足部	The **pain** is at the **back** of the from **buttock** down to the f…
背部/面部刺痛/麻木/壓痛	I feel a **tingling pain/numbness tenderness** in my **lower back**.

失去知覺	I **lost my consciousness** this morning/….
四肢癱瘓	I can't **move my limbs**.
短暫昏厥	I had a **black-out** this morning/….
突發性眩暈	I often have **sudden dizziness**.
旋轉性眩暈	I felt **spinning** this morning/….
頸、背部僵硬	My **neck** and **back** are **stiff**.
高熱,頭痛,嘔吐	I have a **high fever** and **headache**. I also **vomited** this morning/….
感覺物件晃動	I felt things **moving** this morning/….
耳鳴及聽覺失靈	My left/right **ear** often **rings** and I feel some **loss of hearing**.
反覆嘔吐後失去知覺	I became **unconscious** after **vomiting several times**.
唇/頰/頦部陣痛/刺痛	I have an **on and off/tingling pain** in my **lips/cheek/chin**.
週期性左/右邊頭痛	I have **periodic headaches**, usually on the **left/right side**.
惡心/嘔吐/腹瀉/發汗	I felt **nausea** and had **vomiting/diarrhea/sweating**.
腿後方痛,由臀至足部	The **pain** is at the **back** of the **leg** from **buttock** down to the **foot**.
下背部/面部刺痛/麻木/壓痛	I feel a **tingling pain/numbness/tenderness** in my **lower back/face**.

常用詞彙	Useful terms
失眠	Insomnia
抑鬱	Depression
疲倦	Fatigue
麻痺	Pins and needles
焦慮	Anxiety
昏迷	Coma
顫抖	Shivering/tremor
癱瘓	Paralysis
無知覺	Numbness
腦震盪	Concussion
天旋地轉	Vertigo
失去知覺	Unconsciousness
半身不遂	Hemiplegia
四肢癱瘓	Quadriplegia
全身抽筋	Convulsion
脊髓神經	Spinal cord
腰椎穿刺(抽脊髓液)	Lumbar puncture
兩下肢癱瘓	Paraplegia

一些常見疾病	Some common diseases
中風	Stroke (Cerebral vascular accident, CVA)
羊癇	Epilepsy
腦炎	Encephalitis
癔病，歇斯底里症	Hysteria
癡呆	Dementia
脊髓炎	Myelitis
神經炎	Neuritis
偏頭痛	Migraine
腦充血	Cerebral hemorrhage
腦血栓	Cerebral thrombosis

腦栓塞	Cerebral embolism
腦膜炎	Meningitis
帕金遜症	Parkinson's disease
帶狀疱疹(生蛇)	Herpes zoster
三叉神經痛	Trigeminal neuralgia
內耳眩暈症	Mèniére's disease
老人癡呆症	Alzheimer's disease
老年神經症	Senile neurosis
老年妄想症	Elderly paranoia
神經衰弱症	Neurasthenia/Neurosis
精神分裂症	Schizophrenia
多發性神經炎	Polyneuritis
多發性硬化症	Multiple sclerosis
肌營養不良症	Muscular dystrophy
短暫性腦缺血	Transient cerebral ischemic attack (TCIA)
蛛網膜下腔出血	Subarachnoid hemorrhage
硬腦膜下血腫	Subdural hematoma
多發梗塞性癡呆	Multi-infarct dementia (MID)

第十五章

小兒科
PEDIATRICS
15

發熱/感冒等 Fever/Flu etc.

發熱	The child has a **fever** with a temperature of ___°C.
流鼻水，喉痛，咳嗽	The child has **runny nose, sore throat and coughing**.
發高熱，兼抽筋	The child has a **high fever with convulsion /spasm**.
間歇性發熱，夜間出汗(盜汗)	The child has **on and off fever** and **sweats at night**.
噴嚏，鼻塞，頭痛	The child complains of **sneezing, stuffy nose and headache**.
發熱，寒顫	The child has a **fever and often shivers**.
發脾氣	The child is often in **bad temper**.

餵食 | Feeding

母乳/奶粉	The baby is **breast/formula fed.**
不願進食	The baby/child seems **unwilling to feed.**
忽拒餵食	The baby was previously eager to feed, but suddenly **refuses feeding.**
食後吐奶	The baby always **spits up after feeding.**
食後嘔吐	The baby **vomits after each feeding.**
進食啼哭	The baby always **cries at the start of a feeding.**
食後啼哭	The baby always **cries after a feeding.**
喪失食慾	The baby has **lost appetite** recently.

啼哭 | Crying

啼哭異常	The baby/child **cries in a way that is unusual.**
午後啼哭	The baby often **cries in the late afternoon/evening.**
徹夜啼哭	The baby **cries all through the night.**
抽腿啼哭	The baby **cries and pulls up his/her legs** towards the tummy.
扯耳啼哭	The baby **cries and pulls at one ear.**
進食啼哭	The baby **cries at the start of a feeding.**
食後啼哭	The baby **cries after a feeding.**
睡醒尖叫	The baby **wakes up in the night and screams.**

嘔吐 | Vomiting

餵食嘔吐	The baby/child **vomits after each feeding.**
隨時嘔吐	The baby **vomits at unpredictable times.**
咳嗽後嘔吐	The baby **vomits following a bout of coughing.**
噴射性嘔吐	The baby's **vomit shoots out forcefully.**

腹瀉嘔吐	The baby suffers from **vomiting with diarrhea.**
無瀉嘔吐	The baby suffers from **vomiting without diarrhea.**
黃綠色嘔吐物	The baby **vomits greenish yellow material (vomitus).**

排泄   Excreting

肚瀉 ＿＿ 天	The baby/child's **diarrhea** has lasted for ＿＿ days.
大便軟爛	The baby passes **loose stool** (pooh-pooh).
大便稀溏	The baby passes **watery stool.**
大便黏性	The baby passes **mucal stool.**
大便帶血	The baby passes **bloody stool.**
大便乾硬	The baby passes **dry and hard stool.**
小便頻密	The baby passes **urine** (wee-wee) more **frequently** than usual.
小便量少	The baby only passes **a small amount of urine.**
便秘 ＿＿ 天	The baby has **constipation** over the last ＿＿ days.
大/小便失禁	The baby **cannot control** his/her **bowel movement/urination.**
尿床	The baby has the habit of **bed-wetting.**
小便時叫喊	Every time she/he **urinates**, she/he **screams.**

呼吸與咳嗽   Breathing and coughing

百日咳	The child has a history of **whooping cough.**
呼吸嘈雜/緊促	The baby/child's **breathing is usually noisy/rapid.**
咳嗽平緩	The child has a **mild cough.**
咳嗽厲害	The child has a **severe cough.**
乾咳無痰	The child has a **dry cough without sputum.**

疹	Skin Rash
面頰/尿布位置鱗狀皮	The baby/child has **red, scaly patches** on the **cheeks/the diaper area** (or other parts).
頭上/耳背油性皮屑	The baby has **greasy patches** on his/her **scalp/behind the ears**.
點狀疹	The baby has a **spotted/raised rash** on the neck.
紅疹按壓變白	The baby has a **fine red rash that turns white when pressed**.
扁平疹，按壓不消	The baby has a **flat-spotted rash** that **does not disappear when pressed**.
疹由面部蔓延	The baby has a **rash developing from the face to the neck** (or other parts of the body).
疹呈點狀，起泡乾後結痂	The baby's **rash has crops of spots**. They **blister and dry into scabs**.

發熱/感冒等	Fever/Flu etc.
發熱	The child has a **fever** with a temperature of ___°C.
流鼻水，喉痛，咳嗽	The child has **runny nose, sore throat and coughing**.
發高熱，兼抽搐	The child has a **high fever with convulsion /spasm**.
間歇性發熱，夜間出汗(盜汗)	The child has **on and off fever** and **sweats at night**.
噴嚏，鼻塞，頭痛	The child complains of **sneezing, stuffy nose and headache**.
發熱，寒顫	The child has a **fever and often shivers**.
發脾氣	The child is often in **bad temper**.

一般常見疾病及詞語　　Some common diseases and terms

小兒科　　Pediatrics

天花	Smallpox
水痘	Chickenpox
白喉	Diphtheria
尿床(夜間遺尿)	Bed wetting (Nocturnal enuresis)
肥胖	Obesity
胎斑	Mongolian spot/blue spot
哮喘	Asthma
哮吼	Croup
痢疾	Dysentery
裂唇	Cleft lip
裂腭(缺唇)	Cleft palate
嬰兒	Infant
傷風	Common cold
暗瘡(粉刺)	Acne (Acne vulgaris)
發紫，發紺	Cyanosis
熱痱	Heat rush (prickly heat)
磨牙	Bruxism (teeth grinding)
川崎症	Kawasaki Syndrome
百日咳	Pertussis
佝僂病(軟骨病)	Rickets
尿布疹	Diaper rash
玫瑰疹	Roseola
流鼻血	Nosebleed (Epitaxis)
敗血症	Septicemia
惰性眼/弱視	Lazy eye (Amblyopia)
腸套叠	Intussusception
發惡夢	Nightmare
腦積水	Hydrocephalus
鵝口瘡	Thrush
小兒痙攣	Infantile spasm
大便失禁	Encopresis (Fecal soiling)

牛奶敏感	Milk allergy
急性血癌	Acute Leukemia
急性腹瀉	Acute Diarrhea
幽門狹窄	Pyloric stenosis
過度活躍	Hyperactive
新生肝炎	Neonatal hepatitis
語言缺陷	Speech defect
惡性貧血	Anemia, Pernicious
德國麻疹	German measles (Rubella)
小兒自閉症	Infantile autism
小兒麻痹症(脊髓灰質炎)	Poliomyelitis
地中海貧血	Thalassemia
初生兒窒息	Asphyxia neonatorum
初生溶血症	Hemolytic disease of the newborn
疱疹性口炎	Herpetic stomatitis
傳染性軟疣	Molluscum contagiosum
腺病毒感染	Adenovirus infections
腎病綜合症	Nephrosis
蒙古症癡呆(唐氏綜合症)	Mongolism (Down Syndrome)
出生體重過輕	Low birth weight
「法洛氏」四聯症	Tetralogy of Fallot
急性支氣管炎	Acute Bronchitis
智力發展遲緩(弱智)	Mental retardation
腎小球性腎炎(急性/慢性)	Glomerulonephritis, Acute/chronic
流行性乙型腦炎	Epidemic encephalitis B
胰島素倚賴形糖尿病	Diabetes mellitus, Insulin-dependent (IDDM, Type I)
先天性甲狀腺功能不全	Cretinism (hypothyroidism)
葡萄糖-6-磷酸脱氫酶 缺少症 (蠶豆症)	G-6-P-D deficiency

有關其他與成年人相同的疾病，請參閱有關的章節。

第十六章

婦產科
GYNECOLOGY *and* OBSTETRICS

不育	I **can't** get **pregnant**.
閉經	I have had **no menstruation /no period** since….
經痛	I have severe **menstrual pain**.
月經不規則	I have **irregular periods**.
月經有血塊	There are **blood clots** in my **menstruations**.
月經過多 / 少	I have **heavy /little menstruation**.
白帶過多	I have **heavy vaginal discharge**.
白帶惡臭	The **discharge** has a **foul smell**.
白帶夾血絲	The **discharge** is **blood-stained**.
白帶呈黏性	I pass some **mucus**.
白帶呈凝乳塊	The **discharge** is **cheesy**.
白帶呈黃色 / 綠 / 啡	The **discharge** is **yellowish/ greenish/brownish**.
白帶水狀 / 濃狀 / 含膿	The **discharge** is **thin/thick/purulent**.
子宮下垂	I have **prolapsed uterus**.
外陰疼痛	My **vulva** is **sore**.
外陰痕癢	My **vulva** is **itchy**.
陰道小量出血	I have **vaginal spotting**.
陰道大量出血	I have **heavy vaginal bleeding**.
見紅	I have **show**/I have **some blood** on my panties.
脹奶(谷奶)	I have had **engorged breasts** after delivery.

不育	I **can't** get **pregnant**.
閉經	I have had **no menstruation /no period** since….
經痛	I have severe **menstrual pain**.
月經不規則	I have **irregular periods**.
月經有血塊	There are **blood clots** in my **menstruations**.
月經過多 / 少	I have **heavy /little menstruation**.
白帶過多	I have **heavy vaginal discharge**.
白帶惡臭	The **discharge** has a **foul smell**.
白帶夾血絲	The **discharge** is **blood-stained**.
白帶呈黏性	I pass some **mucus**.
白帶呈凝乳塊	The **discharge** is **cheesy**.
白帶呈黃色 / 綠 / 棕	The **discharge** is **yellowish/ greenish/brownish**.
白帶水狀 / 濃狀 / 含膿	The **discharge** is **thin/thick/purulent**.
子宮下垂	I have **prolapsed uterus**.
外陰疼痛	My **vulva** is **sore**.
外陰痕癢	My **vulva** is **itchy**.
陰道小量出血	I have **vaginal spotting**.
陰道大量出血	I have **heavy vaginal bleeding**.
見紅	I have **show**/I have **some blood** on my panties.
脹奶（谷奶）	I have had **engorged breasts** after delivery.
腳腫	My **ankles** and **feet** are **swollen**.
破羊水	The **waterbag** has **broken**.
子宮收縮	I feel some **contractions**.

小腿抽筋	I have **cramps in my legs.**
妊娠嘔吐	I have **morning sickness/I throw up** every morning.
乳房腫脹	I have **swollen breasts.**
乳頭疼痛	I have **sore nipples.**
乳頭龜裂	I have **cracked nipples.**
產後惡露	I have **lochia/continuous discharge after delivery.**
產後發熱	**After delivery** I have a **fever.**
靜脈曲張	My legs ache. I have had **swollen veins.**
輸卵管結紮	I want to have **sterilization/ my tubes tied.**
外陰切口疼痛	My **episiotomy wound hurts.**
胎兒生產作動	I am **in labour.**
新生嬰兒黃疸病	My baby has **yellowish skin/jaundice.**
月經不來，可能懷孕	I have **missed a period.** I think I am **pregnant/expecting.**

女性生殖系統
Female Reproductive System

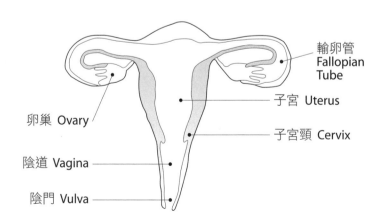

輸卵管 Fallopian Tube

子宮 Uterus

子宮頸 Cervix

卵巢 Ovary

陰道 Vagina

陰門 Vulva

更年期綜合徵狀　　Menopausal symptoms

失眠	I **can't sleep**/I have **insomnia**.
易怒	I am **irritable**.
全身疼痛	It **aches all over**.
面部潮熱	I have **hot flushes**.
煩燥不安	I feel **uneasy/restless**.
精神緊張	I feel **nervous** easily.
全身不舒服	I feel **uncomfortable all over**.
情緒不穩定	I have **mood swings**.
精神不集中	I **can't concentrate**.

一些專用詞彙　　Some key words

小產	Abortion/Miscarriage
羊水	Amniotic fluid
早產	Premature labour
收經/絕經	Menopause
刮宮	D & C (Dilation and curettage of uterus)
胎兒	Fetus
胎動	Fetal movement
胎盤	Placenta
骨盆	Pelvis
催生	Induced labour
避孕	Contraception/Birth control
臍帶	Umbilical cord
斷乳	To wean
驗孕	Pregnancy test
難產	Dystocia (Difficult labour)
子宮托	Pessary
子宮環	Intrauterine contraceptive device
不育症	Infertility
安全期	Safe period
宮外孕	Ectopic pregnancy

哺母乳	Breast feed
預產期	Due date/Expecting date
避孕丸	The pill/Contraceptive pill
避孕套	Condom/The sheath
人工流產（墮胎）	Therapeutic abortion/Induced abortion
子宮切除	Hysterectomy
子宮沖洗	Vaginal douche
奶瓶哺乳	Bottle-feed
全身麻醉	General anesthesia
自然分娩（順產）	Normal delivery
產鉗分娩	Forceps delivery
局部麻醉	Local anesthesia
卵巢切除	Ovariectomy
胎位不正	Fetus in abnormal lie/Abnormal presentation
胎盤前置	Placenta previa
剖腹分娩	Cesarean section
脊髓麻醉	Spinal anesthesia
產前出血	Antepartum hemorrhage (APH)
產前檢查	Prenatal check-up
產後出血	Postpartum hemorrhage (PPH)
產後檢查	Postnatal check-up
無痛分娩	Epidural/Painless delivery
過期妊娠	Post term/Past term/Overdue
臀位分娩	Breech delivery
輸卵管切除	Salpingectomy
子宮鏡檢查	Hysteroscopy
陰道鏡檢查	Colposcopy
荷爾蒙激素	Hormones
末次行經日期	Last menstrual period
基礎體溫測量	Basal body temperature
子宮內膜摘除	Endometrium ablation
荷爾蒙分泌失調	Hormone imbalance

一些常見疾病	**Some common diseases**
卵巢瘤	Ovarian tumour
卵巢炎	Ovaritis
盆腔炎	Pelvic infection
陰道炎	Aginitis
葡萄胎	Molar pregnancy
子宮頸炎	Cervicitis
子宮頸癌	Carcinoma of cervix
月經失調	Menstruation disorder
卵巢水瘤	Ovarian cyst
輸卵管炎	Salpingitis
子宮頸息肉	Cervical polyp
子宮纖維瘤	Uterine fibroid
妊娠毒血症	Toxemia of pregnancy/Pre-eclampsia
滴蟲陰道炎	Trichomonas vaginal infection
子宮內膜異位	Endometriosis
念珠菌陰道炎	Monilia vaginal infection
經前期綜合徵狀	Premenstrual syndrome (PMS)/ Premenstrual tension

呼吸困難　　　　　　　I have **difficulty in bre**

氣促　　　　　　　　　I feel **short of brea**

後胸骨痛，擴散至　　　I feel a **pain i**

頸/頰/左肩/臂　　　　　It **shoot**
　　　　　　　　　　　sho

惡心(作悶)及嘔吐　　　　　　　　　　　　　**miting**

用力後心跳虛　　　　　　　　　　　　**remely rapid**

睡眠時

多年咳嗽史　　　　　　I have a **history of cough**
　　　　　　　　　　　for ___ years.

突然眩暈，惡心，　　　I had **sudden dizziness, nausea and**
嘔吐，局部癱瘓，　　　**vomiting, partially paralized and**
呼吸困難　　　　　　　**difficulty in breath.**

休克，高熱，　　　　　This morning, I was **in shock**, had a
不規則呼吸　　　　　　**high fever and irregular breathing.**

呼吸困難	I have **difficulty in breathing**.
氣促	I feel **short of breath**.
後胸骨痛，擴散至頸/頰/左肩/臂	I feel a **pain in my back chest-bone**. It **shoots** to the **neck/chin/left shoulder/arm**.
惡心(作悶)及嘔吐	I felt **nausea** and had **vomiting** this morning.
用力後心跳劇烈	My **heartbeat is extremely rapid after exertion**.
睡眠時咳嗽	I **cough during sleep**.
靜態時心跳仍急促	I have **rapid heartbeats even at rest**.
四肢冰冷	I feel **coolness of arms and legs**.
咳帶膿/黏/白/黃綠/血絲痰	I **cough up thick/mucal/white/ yellow-green/blood-streaked sputum**.
多年咳嗽史	I have a **history of cough** for ___ years.
突然眩暈，惡心，嘔吐，局部癱瘓，呼吸困難	I had **sudden dizziness, nausea and vomiting, partially paralized and difficulty in breathing**.
休克，高熱，不規則呼吸	This morning, I was **in shock**, had a **high fever and irregular breathing**.
四肢癱瘓	My **limbs are paralyzed**.
頭後部麻木刺痛，眩暈，嘔吐	I feel a **numbness/tingling pain in the back of my head** and have **dizziness and vomiting**.
行動不穩，失衡	I **can't walk steadily/keep balance**.
噴射性嘔吐，進食困難	I have **shooting vomit** and **difficulty in swallowing**.

神經質，緊張狀態	I am always in a **nervous/stressed state.**
過量出汗	I have **excessive sweating.**
食慾正常，但體重減輕	I have **normal appetite but still lost my weight.**
不能安睡	I **can't sleep well.**
聲音沙啞	My **voice** becomes **hoarse.**
頸部腫脹	My **neck** is **swollen.**
四肢震顫	My **limbs** always **shiver.**
輕痛／劇痛／僵硬 手臂／肩／關節／ 肌肉／背骨，放射至 頸／前臂／頭部／肘	I feel a **mild/severe pain/stiffness** in my **arms/shoulder/joint/muscles/ back bone.** It **shoots** to the **neck/fore arm/head/elbow.**
腕／膝關節／踝／ 大趾紅腫／痛楚	My **wrist/knee joints/ankles/big toes** are red, swollen and painful.
手指／下肢 無知覺／麻木	My **fingers/lower limbs** feel **numbness/pins and needles.**
足踝腫脹	My **feet/ankles** are **swollen.**
疲倦／頭痛／關節痛	I suffer from **fatigue/frequent headache/joint pain.**
腰背刺／灼痛 反射至臀部／腹股溝／ 大腿	I feel a **tingling/burning pain** in the **small loin of my back.** It **shoots** to the **buttock/groin/thigh.**
對近期事物失憶	The patient has **lost his/her memory of recent events.**
迷途	The patient always **gets lost in the street.**
不能辨認人(甚至家人)	The patient **can't recognize people, even family members.**
不能照顧自已	The patient **can't take care of him(her)self.**
容易轉變情緒， 失去興趣	The patient has **become moody.** The patient has **lost** all **interests in life.**

手指/手/腳/頦(下巴)/唇/舌/眼瞼不自覺震顫	The patient has **involuntary tremor** in his/her **fingers/hands/legs/chins /lips/tongue/eyelids.**
書寫/執筷/…困難	He/she has **difficulty in writing/ holding chopsticks/**….
面無表情	His/her face **shows no expressions.**
肌肉關節僵硬	He/she has **stiff muscles and joints.**
情緒低落/憂慮/紊亂	He/she often **feels depressed/ anxious/confused.**
手指震顫如「搓丸仔」	His/her **fingers shiver like "pill-rolling".**
行動緩慢	His/her **movement is slow.**
睡眠困難	He/she always has **sleeping difficulty.**

註：如感覺屬經常或間中，可說明 often/sometimes。

例：I **often/sometimes** feel dizzy.

一些常見徵狀及疾病，可參閱第九、十、十一、十二、十三、十四章。

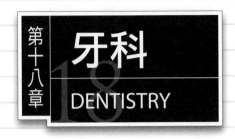

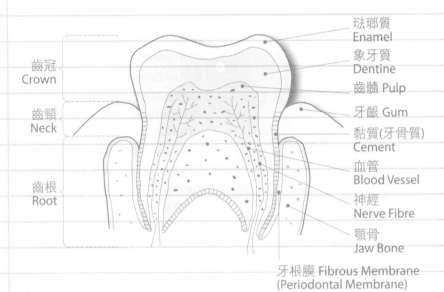

齒冠 Crown

齒頸 Neck

齒根 Root

琺瑯質 Enamel

象牙質 Dentine

齒髓 Pulp

牙齦 Gum

黏質(牙骨質) Cement

血管 Blood Vessel

神經 Nerve Fibre

顎骨 Jaw Bone

牙根膜 Fibrous Membrane (Periodontal Membrane)

牙肉紅腫	I have **red/swollen gums**.
牙瘡/齦膿腫	There may be a **gumboil**.
跳痛	I feel **throbbing pain** in my **teeth/gum**.
牙齒鬆脱	My teeth are **getting loose**.
牙齦出血	My **gums bleed easily**, especially when I brush my teeth.
牙齦退縮	I think I have **gum recession**.
可能要看牙周病醫生	I **may need to see the periodontist**. (I may have periodontitis.)

牙肉紅腫	I have **red/swollen gums**.
牙瘡/齦膿腫	There may be a **gumboil**.
跳痛	I feel **throbbing pain** in my teeth/gum.
牙齒鬆脫	My teeth are **getting loose**.
牙齦出血	My **gums bleed easily**, especially when I brush my teeth.
牙齦退縮	I think I have **gum recession**.
可能要看牙周病醫生	I **may need to see the periodontist**. (I may have **periodontitis**.)
牙痛	I have a **toothache**.
跳痛/常痛/陣痛/隱痛/刺痛	It is a kind of **throbbing/constant/intermittent/dull lingering/sharp pain**.
牙孔	There may be a **cavity**.
可能要脫牙	I may need to **have the tooth extracted**.
可能有牙齦炎	I think I have **gingivitis**..
牙瘡	I have a **gingival abscess** on my tooth.
牙垢/牙石	I think I have **tartar/calculus**.
蛀牙(齲齒)	I think I have **dental caries**.
牙齒敏感	I have **sensitive teeth**.
飲用凍/熱/甜品時感疼痛	It **hurts** when I take **cold/hot/sweet food or drinks**.
不能用大牙嚼食	I **can't chew** with my **molars**.
門齒不能用力咬食物	I **can't bite** with my **front teeth**.
感覺痠軟	I feel a **tenderness** in my teeth.

牙冠/牙根折斷	I had a **root canal treatment** on the tooth, but now the **crown/root is fractured**.
補牙 / 牙冠掉脫	I have a **lost filling/crown**.
牙橋鬆脫	I have a **loose bridge**.
上 / 下假牙鬆脫	My **upper/lower dentures** are **loose**.
種牙	I think I want **implanted teeth**.
牙齒反頜，欲予矯正	I have/my child has **crossbite**. I wish to have it **corrected**.
箍牙	I think I need **orthodontic braces**.
口臭，可能與爛牙有關	I have **bad breath**. It may have something to do with my **bad teeth**.
牙齒黑點	There are **black spots** on my teeth.
漂牙	My teeth need **bleaching/whitening** please.
出牙檢查	My child is **teething**. Please **examine**.

一些常見疾病　　　Some common diseases

口臭	Halitosis
反頜	Crossbite
間隙 (齒虛位)	Diastema
裂唇	Cleft lip
磨牙	Bruxism/Teeth grinding
膿腫	Abscess
牙周病	Periodontitis/Periodontal disease
牙垢膜(牙菌膜)	Plaque
牙齦炎	Gingivitis
骨膜炎	Periostitis
氟中毒	Fluorosis
錯位頜	Malocclusion
鵝口瘡	Aphtha/Thrush

牙糟出血	Odontorrhagia
牙糟發炎	Odontitis
向內移位	Intrude
向後移位	Retrude
急性潰瘍齦炎	Acute ulcerative gingivitis

臼齒的縱切面圖
Vertical Section through a Molar Tooth

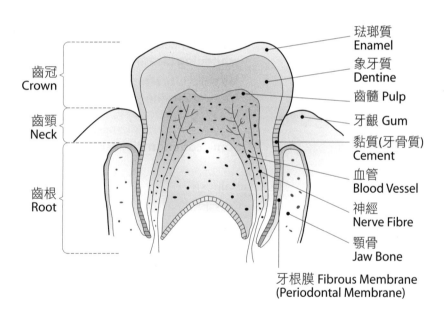

琺瑯質
Enamel

象牙質
Dentine

齒髓 Pulp

牙齦 Gum

黏質(牙骨質)
Cement

血管
Blood Vessel

神經
Nerve Fibre

顎骨
Jaw Bone

牙根膜 Fibrous Membrane
(Periodontal Membrane)

齒冠
Crown

齒頸
Neck

齒根
Root

恒齒的排列
Arrangement of Permanent Teeth

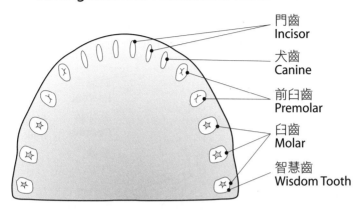

門齒
Incisor

犬齒
Canine

前臼齒
Premolar

臼齒
Molar

智慧齒
Wisdom Tooth

牙齒的種類
Types of Teeth

	乳齒 Milk/Primary Teeth	恆齒 Permanent Teeth
總數目 Total Number	20	32
門齒 Incisor	8	8
犬齒 Canine	4	4
前臼齒 Premolar	8	8
臼齒 Molar	0	12
		(包括4只智慧齒 Include 4 Wisdom Teeth)

牙科專業人員   Dental professionals

牙科醫生	Dentist/Dental Surgeon
矯形牙科醫生	Orthodontist
牙髓學醫生	Endodontist
小兒齒科醫生	Pedodonist
義齒科醫生	Prosthodontist
牙齒衛生師	Dental Hygienist

下顎恆齒的形成
Formation of Permanent Tooth on Lower Jaw

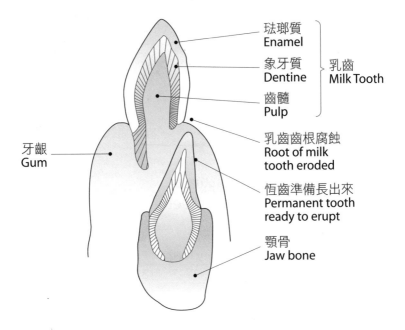

琺瑯質
Enamel

象牙質
Dentine

齒髓
Pulp

乳齒
Milk Tooth

乳齒齒根腐蝕
Root of milk
tooth eroded

恆齒準備長出來
Permanent tooth
ready to erupt

顎骨
Jaw bone

牙齦
Gum

一些專用詞彙	Some key words
橋	Bridge
出牙	Teething
牙冠	Crown/Cap
拔/脫牙	Extraction of tooth/teeth
牙線	Dental floss
洗牙	Dental cleansing
瓷牙	Porcelain tooth
假牙	Dentures/False teeth
麻醉(止痛)	Freezing
植入	Implant
補牙	Filling
塑膠	Plastic
擦牙	Brushing
鑽牙	Drill
牙照片	Dental film
全假牙	Complete/Full dentures
固定橋	Fixed bridge
活動橋	Removable bridge
除齒垢	Scaling
氟化物	Fluoride
口腔衛生	Dental hygiene
牙周探針	Probe
牙齒矯形	Orthodontic treatment
電動牙刷	Electric tooth brush
牙科汞合金(俗稱銀粉)	Dental amalgam
牙齒矯正器	Brace
假牙清潔劑	Denture cleanser
牙垢膜指示劑	Dental disclosing agent

1. 孩子需要注射疫苗嗎？
   Does my child require any **vaccination**?

2. 我需要注射防感冒針/....嗎？
   Do I need **flu shot**/...?

3. 這嬰兒何時注射疫苗？
   When will the baby require **vaccination**?

4. 這孩子需要注射何種疫苗？
   What kind of **vaccination** is required for the child?

   我可往何處接受疫苗注射？
   Where can I be **vaccinated**?

   這孩子何時注射增強劑？
   When should the child have the **booster dose**?

   注射後有何反應？
   What **reaction** is expected after the **shot/vaccination**?

   有反應時該如何處理？
   When there is a **reaction** what should I do?

1. 孩子需要注射疫苗嗎？
   Does my child require any **vaccination**?

2. 我需要注射防感冒針/….嗎？
   Do I need **flu shot**/…?

3. 這嬰兒何時要注射疫苗?
   When will the baby require **vaccination**?

4. 這孩子需要注射何種疫苗?
   What kind of **vaccination** is required for the child?

5. 我可往何處接受疫苗注射?
   Where can I be **vaccinated**?

6. 這孩子何時注射增強劑?
   When should the child have the **booster dose**?

7. 注射後有何反應?
   What **reaction** is expected after the **shot/vaccination**?

8. 有反應時該如何處理?
   When there is a **reaction** what should I do?

一些常用詞彙	Some useful terms
抗原	Antigen
抗體	Antibody
疫苗	Vaccine
接種	Vaccination
補體	Complement
酵素	Enzyme
增強劑	Booster dose

自動免疫	Auto-immune
免疫系統	Immune system
器官排斥	Organ rejection
丙種球蛋白	Gamma globulin

接種疫苗（免疫注射）指南
Guidelines for vaccination

(A) 兒童

二、四、六個月 (2, 4 and 6 months)

* 白喉	Diphtheria
百日咳	Pertussis
破傷風	Tetanus
小兒麻痺症	Polio
乙型流感嗜血桿菌	Haemophilus Influenza Type B
* 乙型肝炎	Hepatitis B
* 肺炎球菌混合疫苗 （二、四個月）	Pneumococcal Conjugate
丙型腦膜炎球菌混合疫苗(1)	Meningococcal Group C (First dose)

六至二十三個月 (6-23 months)

* 流行性感冒（兩針） （只在流行性感冒季節）	Influenza (2 doses) (During flu season only)

十二個月 (12 months)

* 麻疹	Measles
腮腺炎	Mumps
風疹（德國麻疹）	Rubella (German Measles)
* 水痘	Varicella
丙型腦膜炎球菌混合疫苗(2)	Meningococcal Group C (Second dose)
* 肺炎球菌混合疫苗	Pneumococcal Conjugate

十八個月 (18 months)

*白喉	Diphtheria
百日咳	Pertussis
破傷風	Tetanus
小兒麻痺症	Polio
乙型流感嗜血桿菌	Haemophilus Influenza Type B
*麻疹	Measles
腮腺炎	Mumps
風疹 (德國麻疹)	Rubella (German Measles)
*水痘	Varicella

幼稚園 (Kindergarten) 四至六歲 (4 to 6 years old)

*白喉	Diphtheria
百日咳	Pertussis
破傷風	Tetanus
小兒麻痺症	Polio
*水痘	Varicella

第六班 ⊕ (Grade 6)

*乙型肝炎	Hepatitis B
*水痘	Varicella
*丙型腦膜炎球菌混合疫苗	Meningococcal Group C

第九班 (Grade 9)

*白喉	Diphtheria
百日咳	Pertussis
破傷風	Tetanus

註 * ：只需接受一次注射

水痘防疫注射只適用於沒有出過水痘或未接受這疫苗的兒童。

註 ⊕ ：學生如未接受過這幾種疫苗，便需考慮接種。

其他疫苗注射

卡介苗	BCG (Bacille Calmette-Guerin)
防瘋狗症疫苗	Anti-Rabies Vaccine
甲型肝炎疫苗	Hepatitis A Vaccine
甲、乙二型肝炎疫苗	Hepatitis A and Hepatitis B Combined
日本腦炎病毒疫苗	Japanese Encephalitis Virus Vaccine
人類免疫球蛋白	Immune Globulin (Human)

(B) 婦女未懷孕前，可請教家庭醫生有關下列疫苗注射

乙型肝炎疫苗	Hepatitis B Vaccine
德國麻疹疫苗	Rubella Vaccine

(C) 旅遊人士於出發前，宜先向家庭醫生請教有關疫苗注射的問題。

(D) 耆英及慢性病患者可向家庭醫生請教有關下列疫苗注射

流行性感冒疫苗	Flu Vaccine
肺炎球菌疫苗（多糖體）	Pneumococcal Vaccine (Polysaccharide)

單純及混合疫苗英中對照 Single and combined vaccines

縮寫	英文	中文	
BCG	Bacille Calmette-Guerin	卡介苗	
DPT	Diphtheria Pertussis Tetanus	白喉 百日咳 破傷風	三合一疫苗
DTaP	Diphtheria Tetanus, Pertussis (Acellular)	白喉 破傷風 百日咳 （無細胞）	三合一疫苗
HBV(Hep B)	Hepatitis B Vaccine	乙型肝炎疫苗	
HIB(Hib)	Haemophilus Influenza B	乙型流行性感冒嗜血桿菌疫苗	
IPV	Inactivated Polio Vaccine	小兒麻痺滅活性疫苗	

MC	Meningococcal C Conjugate Vaccine	丙型腦膜炎混合疫苗
MMR	Measles, Mumps and Rubella	麻疹，腮腺炎和德國麻疹疫苗
PC	Pneumococcal Conjugate Vaccine	肺炎球菌混合疫苗
Td	Tetanus and Diphtheria Toxoid	破傷風及白喉類毒素
TIG	Tetanus Immune Globulin	破傷風免疫球蛋白
TOPV	Triple Oral Polio Vaccine	口服小兒麻痺疫苗三種混合劑
VZV	Varicella-Zoster Virus (Chickenpox)	水痘疫苗
D T P P	Tetraxim Vaccine: 　Diphtheria 　Tetanus 　Pertussis 　Poliomyelitis	四合一疫苗： 　白喉 　破傷風 　百日咳 　小兒麻痺
	Penta Vaccine: 　Tetraxim + HIB	五合一疫苗： 　四合一疫苗 + 　乙型流行性感冒 　嗜血桿菌疫苗
	Hexa Vaccine: 　Penta Vaccine + HBV	六合一疫苗： 　五合一疫苗 + 　乙型肝炎疫苗

第二十章 其他徵狀及不適
OTHER SYMPTOMS and COMPLAINTS

灼痛	I suffer from **burning** tummy/stomach/….
刺痛	I suffer from **tingling pain** in my tummy/stomach/….
陣痛	I suffer from **intermittent pain** in my tummy/stomach/….
絞痛	I suffer from **cramping pain** in my tummy/stomach/….
脹痛	I suffer from **distended pain** in my tummy/stomach/….
跳痛	I suffer from **throbbing pain** in my tummy/stomach/….
輕痛	I suffer from **mild pain** in my tummy/stomach/….
劇痛	I suffer from **severe/sharp/acute pain** in my tummy/stomach/….
隱痛	I suffer from **dull pain** in my tummy/stomach/….
刀刺痛	I suffer from **stabbing pain** in my tummy/stomach/….
壓迫痛	I suffer from **crushing pain** in my tummy/stomach/….
擴散痛	I suffer from **radiating pain** that radiates from my _____ to my _____.
持續性痛	I suffer from **persistent pain** in my

灼痛	I suffer from **burning pain** in my tummy/stomach/….
刺痛	I suffer from **tingling pain** in my tummy/stomach/….
陣痛	I suffer from **intermittent pain** in my tummy/stomach/….
絞痛	I suffer from **cramping pain** in my tummy/stomach/….
脹痛	I suffer from **distended pain** in my tummy/stomach/….
跳痛	I suffer from **throbbing pain** in my tummy/stomach/….
輕痛	I suffer from **mild pain** in my tummy/ stomach/….
劇痛	I suffer from **severe/sharp/acute pain** in my tummy/stomach/….
隱痛	I suffer from **dull pain** in my tummy/stomach/….
刀刺痛	I suffer from **stabbing pain** in my tummy/stomach/….
壓迫痛	I suffer from **crushing pain** in my tummy/stomach/….
擴散痛	I suffer from **radiating pain** that starts from my _____ to my _____.
持續性痛	I suffer from **persistent pain** in my tummy/stomach/….
週身疼痛	I **ache all over**.

目眩	I **see things moving**.
失衡	I **can't keep my balance**.
氣促	I often feel **short of breath**.
盜汗	I often **sweat at night**.

發熱	I have had **a temperature/fever** since last night/….
傷風	I think I have **caught a cold**.
性無能	I suffer from **impotence**.
口渴，尿頻	I always feel **thirsty** and **urinate frequently**.
不能蹲下	**I can't crouch**.
容易疲勞	I get **exhausted easily**.
渴睡，疲倦	I often feel **sleepy** and **tired**.
感覺寒顫 （占寒占凍）	I often feel **chilly**.
體重減輕	I have **lost weight** of ___lb/kg in ___ weeks/months.
起床時頭暈	I often feel **faint** especially **when I get up**.
咳嗽，流鼻水及	I **cough** a lot. I have **runny nose** and **sore throat**.

愛孤獨	I **like to be alone**.
不能安睡	I **can't sleep well**.
不願交談	I **don't like talking to people**.
失去自信	I seem to have a **total loss of confidence** in myself.
失去興趣	I seem to have **loss of all interests**.
自殺傾向	I have **suicidal tendency**.
情緒低落	I easily get **depressed**.
精神緊張	I often feel **tense/nervous**.
精神不集中	I **can't concentrate**.

暗瘡	There are **pimples** on my face.
瘡，痛	There is a **boil** in my leg. It is **painful**.
疹，痕癢	I have **rash** on my body. It **itches**.

灼傷	My hand/….was **burnt** over a hot stove.
咬傷	I was **bitten** by a dog/snake/….and had a wound.
哽骨	I was **choked by a fishbone**.
砸傷	My head/….was **injured by a fallen object**.
燙傷	My leg/….was **scalded** by hot water.
下頜脫臼	My **jaws** are **dislocated**.
滑倒，腫痛	I **slipped** and fell. My wrist/… is now **swollen** and **painful**.
割傷，流血不止	I have **cut** my finger/….It **does not stop bleeding**.
蜜蜂／昆蟲刺傷，痕腫	I have **bee/insect stings**. It is now **itchy** and **swollen**.
對花粉/花生/….過敏	I am **allergic** to **pollen/peanut**/….
吃蝦/蛋類/….後，嘔吐/腹瀉/出疹	I **vomit**/ have **diarrhea/rash** after eating **shrimps/egg products**/….

一般外科手術 **Some common surgical procedures**

透析（洗腎）—血液或腹膜	Dialysis (hemo or pe
剖腹	Laparotomy
石切除	Lithotomy
腎切除（部分或全部）	Nephrectomy (parti
植皮	Skin graft
腎移植	Kidney transplant
角膜移植	Cornea transplant
肝臟移植	Liver transplant
骨髓移植	Bone marrow transp
切開（膿腫）引流	Incision & drainage
乳房切除（部分或全部）	Mastectomy (partial
胃部切除（部分或全部）	Gastrectomy (partia
食道切除	Esophagectomy
肺葉切除	Lobectomy
膽囊切除	Cholecystectomy
痔瘡切除	Hemorrhoidectomy
腕管放寬	Carpal tunnel releas
結腸切除	Colectomy
結腸開口（人造肛門）	Colostomy
腫瘤切除	Lumpectomy
椎板切除	Laminectomy

一些其他疾病 — Some other diseases

疥	Scabies
疣	Wart
疹	Rash
痣	Mole
瘡	Boil
癌	Cancer
癬	Tinea (Ringworm infection)
水豆	Chickenpox
水泡	Blister
水腫	Edema
天花	Smallpox
血癌	Leukemia
性病疱	Sexually transmitted disease
單純疱疹	Herpes simplex
帶狀疱疹 (生蛇 / 蛇盤腰)	Herpes zoster (shingles)
貧血	Anemia
淋病 (白濁)	Gonorrhea
梅毒	Syphilis
傷風	Cold
麻疹	Measles
紫癜 (皮膚血斑)	Purpura
暗瘡	Acne/pimple
腫瘤 (良性 / 惡性)	Tumour (Benign/malignant)
瘧疾	Malaria
潰瘍	Ulcer
糖尿	Diabetes
濕疹	Eczema

膿腫	Abscess
心理病	Psychological illness
精神病	Psychiatric illness
牛皮癬	Psoriasis
皮膚炎	Dermatitis
血友病	Hemophilia
血管瘤	Hemangioma
自閉症	Autism
破傷風	Tetanus
禽流感	Avian Flu (bird flu)
猩紅熱	Scarlet fever
腮腺炎（痄腮）	Mumps
腺熱症	Glandular fever
愛滋病	AIDS
瘋狗症	Rabies
靜脈炎	Phlebitis
蕁麻疹（風塊）	Hives
鱗狀皮	Scaly skin
小兒麻痺	Poliomyelitis
德國麻疹（風疹）	German measles (Rubella)
靜脈曲張	Varicose vein
甲狀腺炎	Thyroiditis
甲狀腺毒症	Thyrotoxicosis
甲狀腺功能亢進	Hyperthyroidism
甲狀腺功能不全	Hypothyroidism
甲狀腺腫大（大頸泡）	Goitre
衣原體感染	Chlamydia
流行性感冒	Influenza (Flu)
嚴重急性呼吸系統綜合症（沙士）	Severe acute respiratory syndrome(SARS)

一般外科手術	Some common surgical procedures
透析 (洗腎) 一 血液或腹膜	Dialysis (hemo or peritoneal)
剖腹	Laparotomy
石切除	Lithotomy
腎切除 (部分或全部)	Nephrectomy (partial or total)
植皮	Skin graft
腎移植	Kidney transplant
角膜移植	Cornea transplant
肝臟移植	Liver transplant
骨髓移植	Bone marrow transplant
切開 (膿腫) 引流	Incision & drainage (I & D)
乳房切除 (部分或全部)	Mastectomy (partial or total)
胃部切除 (部分或全部)	Gastrectomy (partial or total)
食道切除	Esophagectomy
肺葉切除	Lobectomy
膽囊切除	Cholecystectomy
痔瘡切除	Hemorrhoidectomy
腕管放寬	Carpal tunnel release
結腸切除	Colectomy
結腸開口 (人造肛門)	Colostomy
腫瘤切除	Lumpectomy
椎板切除	Laminectomy
闌尾 (盲腸) 切除	Appendectomy
頭骨鑽孔	Burr-hole
顱骨切開	Craniotomy
甲狀腺切除 (部分或全部)	Thyroidectomy (partial or total)
前列腺切除	Prostatectomy
蹈趾囊腫切除	Bunionectomy
輸卵管結紮	Tubal ligation
人工心瓣更換	Heart valve replacement
冠狀動脈分流 (心臟血管搭橋)	Coronary bypass surgery

動脈內膜切除	Endarterectomy
結腸半部切除	Hemicolectomy
腹股溝疝修補	Inguinal hernia repair
關節全部置換	Total joint replacement
子宮頸錐形切除	Cone biopsy of cervix
輸卵管卵巢切除 (兩邊或一邊)	Salpingo-oophorectomy (bilateral or unilateral)
體外震盪碎石術	Extracorporeal Shock Wave Lithotripsy (ESWL)
扁桃體及增殖腺切除	Tonsillectomy & adenoidectomy (T & A)
白內障摘除及晶體植入	Cataract extraction and lens implantation
動脈瘤切除及移植修補	Aneurysm excision and graft repair
胃部迷走神經切斷及 幽門成形	Vagotomy and pyloroplasty of the stomach

親恩永誌
─ 懷念家嚴何杰章及家慈何楊笑棠

　　我們很榮幸能夠支持《就診良伴》再版,並藉此機會懷念我們的父親何杰章(1914-1986)和母親何楊笑棠(1923-2012)。

　　爸爸生於中國廣東省順德縣黃蓮,在香港長大。祖父是一位中醫師,醫術精湛但不富有。然而,他存下足夠的金錢(據說是戒掉了鴉片癮),送爸爸入讀香港大學。畢業之後,爸爸與幾個合夥人做起了外幣兌換生意。

　　媽媽祖籍廣東省順德縣容奇,出身於香港一個富裕家庭,完成了高中學業後,和當時的典型女性一樣,從未出門工作。她是一位聰慧、獨立的女性,思想進步,閱人有術──無疑是源於在一個關係錯縱複雜的大家庭中成長。媽媽為人公正、謙遜和仁慈,受人稱頌。

　　我們父母在第二次世界大戰時結婚,養育了五名子女(不幸的是,第六名嬰兒夭折了)。爸爸廢寢忘餐地工作,緊緊盯住他的存貨──金錢!他英文流利,客人包括不少僑民,甚至還有著名影星加利格蘭!爸爸甚至出現在一九五九年《新聞周刊》的一篇專題報道中,被稱作「佛陀一般的外幣兌換商」。媽媽整日的時間花在監督我們的功課上,並打理家務。爸爸最終提前退休,之後,就和我們在一起平靜地過生活。爸爸對我們頗為溺愛,媽媽則管教甚嚴。

　　一九六八年之前,父母在香港過著舒適的生活。長女已經結婚,長孫也剛剛出世。但父母擔心香港的未來,並確信子女在海外會有更好的生活,於是他們拋下熟悉的人和物,於一九六九年帶著其餘四名子女(當時由四至十七歲)移民來加拿大。在這裡,除了兩位點頭之交外,他們誰也不認識。

　　一九六九年的溫哥華與現時截然不同,沒有中僑互助會幫助他們安頓。華裔移民很少,列治文還是一片農地,華人大多聚居於溫哥華唐人街。爸爸和媽媽(主要是媽媽)在出生以來第一次自己煮飯、清潔打掃,並做所有的家務。

　　回憶過去，那是多大的犧牲！對他們來說，適應一定是相當困難。他們定曾感到孤單和無助，一定十分想念長女和其他家人，而我們卻從未聽過他們抱怨。

　　父母經常告訴我們，教育就是他們遺下給我們的財產。他們沒有餘錢給我們買額外的東西，但定必有金錢用在教育上。他們也告訴我們，只要付出足夠努力、心存盼望，就可以做任何事情、成就任何角色。他們為我們能夠成為教育者、牙醫、醫學技術人員、律師和工程師而感到自豪。特別是爸爸，只要人家肯聽，他就會不停地稱讚自己的子女。

　　一九九三年，我們的大姊攜同家人來到加拿大與我們團聚。我們一起為父母帶來三名媳婿、七名孫兒和三名曾孫。爸爸於一九八六年去世，媽媽則見證了她所有的孫兒長大成人及事業有成。

　　四十四年後的今天，我們的父母均已離去，但是我們的家族已經在加拿大繁衍。我們的父母也實現了他們的夢想，為子孫後代奠定了堅實的基礎，賦予了我們更舒適、更安逸的生活。

　　爸爸和媽媽，我們感謝你們。我們愛你們、想念你們。

何氏家族

A Tribute
— In Memory of Mr. & Mrs. HO KIT CHEUNG

We are pleased to support the reprinting of *Patients' Companion* in loving memory of our father HO KIT CHEUNG (1914-1986) and our mother HO YEUNG SHIU TONG (1923-2012).

Dad was born in China and grew up in Hong Kong. Grandfather was a skilled doctor of Chinese medicine but of modest means. Yet, he saved enough money (reportedly by kicking his opium habit) to send Dad to the University of Hong Kong. After graduation, Dad started a money exchange business with his partners.

Mom came from an affluent family in Hong Kong. She finished high school but, typical of women of her generation, had never worked outside the home. Nonetheless, she was a savvy, independent woman, modern in her thinking and skilled at reading people — undoubtedly learned from growing up in a large family with very complicated dynamics. Mom was known for her fairness, humility and kindness.

Our parents married during World War II, and raised five children (sadly, a sixth baby had died). Dad worked long hard hours and kept an eagle eye on his inventory — money. He was fluent in English and his customers included many expatriates plus Cary Grant! Dad was even featured in a 1959 *Newsweek* article as the "money-changer who resembled Buddha." Mom devoted her days to supervising us in lesson preparation and homework, and running the household. Dad eventually retired early and, thereafter, was content to spend his time with us. Mom was the disciplinarian while Dad doted.

By 1968, they enjoyed a comfortable life in Hong Kong, with their eldest daughter married and their first grandchild just born. But they worried about the future of Hong Kong and decided that their children would have a better life abroad. Leaving behind everything and everyone they knew, they moved to Canada in 1969 with their four younger children (then age 4 to 17). Aside from two distant acquaintances, they did not know anyone in Canada.

Vancouver in 1969 was a far different place. There was no S.U.C.C.E.S.S. to ease their settlement. There were few Chinese immigrants; Richmond was farmland; and the Chinese presence was localized in Chinatown. For the first time in their lives, Mom and Dad (well, mostly Mom) cooked and cleaned and did all the housework.

Thinking back, what a sacrifice! How tough it must have been for them to adjust, how isolated and lonely they must have felt, and how they must have missed their eldest daughter and other family, but we never heard them complain.

Our parents always told us that our education was our inheritance. There was little money for extras, but there would always be money for education. They also told us that if we work hard enough and want it badly enough, we could do anything and be anything. They were proud of our achievements — educator, dentist, medical technologist, lawyer and engineer. Dad in particular would brag about his children to anyone who would listen.

In 1993, our oldest sister and her family joined us in Canada. Altogether, we gave our parents three children-in-law, seven grandchildren and three great-grandchildren. Dad died in 1986, but Mom saw all her grandchildren grown to adulthood and embarking on worthwhile careers.

Now, 44 years later, our parents are gone. But our family has prospered in Canada and our parents had realized their dream of giving us a better and easier life with a strong foundation for the future generations to come.

Mom and Dad, we thank you. We love you and miss you.

The Ho Family

備忘錄